Pôle fiction

Scott Westerfeld

Code Cool

*Traduit de l'américain
par Fanny Ladd et Alice Cotin*

GALLIMARD JEUNESSE

Ce texte a paru pour la première fois
aux éditions du Panama en 2006.

Titre original : *So Yesterday*
Édition originale publiée par Razorbill Books / The Penguin
Group, Inc. (New York)

© 2004, Scott D.Westerfeld
© Éditions Gallimard jeunesse, 2010,
pour la traduction française

Aux Innovateurs.
Vous vous reconnaîtrez.

Chapitre 0

Vous êtes cernés.

Vous ne pensez pas souvent à nous parce qu'on est invisibles. Enfin, pas vraiment invisibles. Beaucoup d'entre nous ont les cheveux teints de quatre couleurs différentes, portent des baskets à semelles compensées de douze centimètres ou trimballent tellement de métal sur leur peau que prendre un avion devient une vraie galère. Plutôt visibles, en fait, quand on y réfléchit bien.

Mais il n'y a aucun **sig**ne qui puisse trahir ce que nous sommes. D'ailleurs, si vous saviez ce que nous mijotons, la magie n'opérerait plus. Nous **devons vous** observer attentivement, vous pousse**r et vous** encourager **sans** nous faire repérer. En bons pédagogues, nous vous laissons croire que vous avez trouvé tout seuls la solution.

Et vous avez besoin de nous. Pour vous guider, vous façonner, vous assurer qu'aujourd'hui se transforme bien en lendemain. Car honnêtement, sans nous pour gérer la situation, allez savoir ce que l'on vous ferait avaler comme salades.

Après tout, ce n'est pas comme si vous alliez commencer à prendre vos propres décisions.

Alors, si nous sommes censés rester secrets, pourquoi suis-je en train d'écrire ça ?

Eh bien, c'est une longue histoire. Et c'est cette histoire que vous tenez entre les mains.

Elle raconte comment j'ai fait la connaissance de Jen. Elle n'est ni l'une d'entre nous, ni l'une d'entre vous. Elle est au sommet de la pyramide, y apportant tranquillement sa contribution. Et croyez-moi, vous avez besoin d'elle. Nous en avons tous besoin.

Cette histoire parle aussi des Saboteurs, qui, j'en suis sûr, existent réellement. Probablement. Et s'ils sont réels, c'est hallucinant ce qu'ils sont malins, et ils n'ont pas fini de nous étonner. Ce sont eux les méchants, ceux qui veulent planter le système. Ils veulent faire passer les gens comme moi pour des incapables, inutiles et ringards.

Ils veulent vous libérer.

Et le truc, c'est que je crois bien être de leur côté.

OK. Ça vous suffit comme bande-annonce ?

Vous avez cinq minutes pour que je vous déballe tout dans l'ordre ? La séance peut commencer ?

Alors c'est parti.

Chapitre 1

«Je peux prendre une photo de ta chaussure?

– Hein?

– De tes lacets, en fait. La manière dont tu les as noués.

– Ah. Ouais, vas-y, pourquoi pas. Ça claque, hein?»

J'acquiesçai. Cette semaine-là, *ça claque* voulait dire «c'est cool», comme *c'est mortel* ou *c'est géant* il fut un temps. Et les lacets de cette fille étaient *vraiment* cool. Épais et rouges, ils étaient enfilés à plusieurs reprises dans l'œillet du milieu et s'ouvraient en éventail de l'autre côté. Un peu comme le soleil levant de l'ancien drapeau japonais, mais à l'horizontale.

Elle avait environ dix-sept ans, comme moi. En sweat gris et treillis, les cheveux teints si noir qu'ils viraient au bleu lorsque les rayons du soleil à travers les arbres les atteignaient. Ses chaussures étaient des baskets noires sans marque, dont le logo avait été masqué au marqueur noir.

À *coup sûr une Innovatrice*, pensai-je. Ils sont plutôt du genre à se spécialiser, sous un faux air d'Antilogo, jusqu'à ce qu'on se rapproche et qu'on découvre la perle. Toute leur énergie focalisée sur un seul détail.

Des lacets par exemple.

Je sortis mon portable et le pointai en direction de son pied.

Elle écarquilla les yeux et elle me fit le Signe. Mon téléphone du mois, fabriqué par une certaine boîte finlandaise, me valait souvent ce léger mouvement de tête qui signifiait *Je l'ai vu dans un magazine et il me le faut*. Bien sûr, à un autre niveau, ce signe signifiait aussi *Maintenant que j'ai vraiment vu quelqu'un avec ce téléphone, il me le faut à tout prix*.

C'était du moins ce que ladite boîte finlandaise avait espéré en me l'envoyant. Et voilà, je cumulais deux boulots à la fois.

Le téléphone prit sa photo, la réussite de l'opération étant signalée par la voix nasillarde d'une certaine mère farfelue aux cheveux bleus coiffés en choucroute. L'extrait ne suscitant pas le Signe, je pris note de le changer. Marge était *out* ; Lisa était *in*.

J'examinai l'image sur le petit écran du téléphone et elle me sembla assez nette pour que le laçage puisse être copié une fois de retour à la maison.

« Merci.

– Pas de problème. » Une pointe de suspicion se fit alors entendre dans sa voix. Pour quelle raison exactement avais-je pris ses lacets en photo ?

Il y eut un silence gêné, du genre qui se produit quand on photographie la chaussure d'une parfaite inconnue. Je ne m'y ferai jamais.

Je me détournai pour regarder la rivière. J'étais tombé sur mon Innovatrice du lacet de basket dans le parc qui longe l'East River, une bande de gazon et une allée piétonne entre le périphérique et la rivière. L'un des seuls endroits où l'on voit que Manhattan est une île.

Elle tenait un ballon de basket, revenant probablement des terrains pourris situés sous le pont de Manhattan.

Comme je l'ai dit, j'étais là pour travailler.

Au fil de l'eau, un immense cargo avançait au ralenti. Sur la rive opposée se trouvait Brooklyn, avec ses airs industriels, l'usine de sucre Domino attendant patiemment d'être transformée en galerie d'art ou en luxueux complexe pour milliardaires.

J'allais lui faire un dernier sourire et passer mon chemin, mais elle m'interpella.

« Qu'est-ce qu'il fait d'autre ?

– Mon téléphone ? » J'avais la liste des fonctions sur le bout de la langue, mais c'était cette part-là du boulot que je détestais (voilà pourquoi vous ne lirez *aucun* matraquage publicitaire dans ces pages, pas si je peux m'en empêcher). Je haussai les épaules, en essayant d'éviter d'avoir l'air d'un représentant.

« Lecteur MP3, agenda, SMS. Et la caméra peut filmer une vidéo de, genre, dix secondes. »

Elle se mordilla la lèvre et refit le Signe.

« Une vidéo très merdique, d'ailleurs », admis-je. Mentir n'était pas dans le contrat.

« On peut appeler des gens avec ?

– Bien sûr, il… » Je me rendis alors compte qu'elle me faisait marcher. « Oui, on peut vraiment appeler avec. »

Son sourire valait encore plus que ses lacets.

Lorsque Alexander Graham Bell inventa le téléphone, il s'imagina que tout le pays se retrouverait en ligne pour une grande fête. On écouterait tous des concerts retransmis par téléphone ou bien on décrocherait tous notre combiné pour chanter en chœur l'hymne national. Évidemment, le téléphone se révéla avoir un intérêt plus terre à terre : pouvoir discuter avec son prochain.

Les premiers ordinateurs furent conçus

pour l'artillerie navale et pour le déchiffrage des messages codés. Et la création d'Internet devait permettre de gérer le pays après une guerre nucléaire. Mais devinez quoi ? La plupart des gens utilisent leur ordinateur pour s'envoyer des e-mails et des images, communiquer avec son prochain.

Vous voyez le tableau ?

« Je m'appelle Hunter, dis-je, lui rendant son sourire.

– Jen. »

Je hochai la tête. « Jennifer était le prénom féminin le plus couru dans les années 1970 et le deuxième de la liste dans les années 1980.

– Hein ?

– Euh, désolé. » Parfois les infos stockées dans mon cerveau s'ennuient et décident d'aller faire un tour du côté de ma bouche. Généralement, c'est une très mauvaise idée.

Elle secoua la tête. « Non, je vois bien ce que tu veux dire. Il y a des Jen partout ces temps-ci. Je pensais même changer de nom, d'ailleurs.

– Dans les années 1990, Jennifer a chuté à la quatorzième place. Sûrement parce qu'il a été surexposé. » Je tressaillis en m'apercevant que j'avais parlé tout haut. « Mais je trouve que c'est un joli prénom. »

Bonjour la bourde.

« Moi aussi, mais à la longue ça devient lassant, tu vois ? Toujours le même prénom.

— D-marquer, dis-je. C'est le nouveau truc. »

Elle rit, et je m'aperçus que nous nous étions mis à marcher ensemble. Le parc était plutôt vide le jeudi, on y croisait principalement des joggeurs, des promeneurs de chiens et une poignée de vieux bonshommes qui tentaient de pêcher quelque chose dans la rivière. Nous nous faufilâmes sous leurs lignes vacillantes qui scintillaient ou disparaissaient au gré des rayons du soleil d'été. Au-delà des grillages, un petit bateau à moteur filait sur la rivière, faisant des clapotis qui venaient se briser sur le béton.

« Et ça donne quoi pour Hunter ? demanda-t-elle. Le prénom, je veux dire.

— Tu veux vraiment le savoir ? » Je m'assurai que son sourire n'affichait aucun signe de dérision. On peut comprendre que le classement des prénoms sur la base de données du site de la Sécu ne passionne pas les foules.

« Absolument.

— Eh bien, ça ne vaut pas Jennifer, mais ça a fait son chemin. Hunter était à peine dans les quatre cents premiers à ma naissance, alors qu'aujourd'hui il tient bon à la trente-deuxième place.

— Waouh. T'étais en avance sur ton temps alors.

— Ouais, j'imagine. » Je lui lançai un regard en coin et me demandai si elle m'avait déjà cerné.

Jen fit rebondir le ballon de basket une seule fois et le laissa s'élever dans les airs devant elle, résonnant comme une cloche, avant de l'attraper de ses longues mains. Elle en examina un instant les striures et, tel un globe terrestre, le fit vriller à la hauteur de ses yeux verts.

«Il ne faudrait pas non plus que ton prénom devienne *trop* courant, hein?

– Ça craindrait, acquiesçai-je. Regarde l'épidémie de Britney au milieu des années 1990.»

Elle frissonna et mon téléphone retentit. La musique du générique de *La Quatrième Dimension* tombait à pic.

«T'as vu, dis-je, le tendant à Jen, là, il fait téléphone.

– Impressionnant.»

L'écran affichait *shoe girrrl*[1], ce qui était synonyme de boulot.

«Salut Mandy.

– Hunter, tu es occupé là?

– Euh, pas spécialement.

– Tu peux faire un testing? C'est assez urgent.

– Là, tout de suite?

– Oui. Le client veut passer une publicité à l'antenne avant ce week-end, mais il n'est pas très sûr de son coup.»

_____

1. La fille aux chaussures. (*N.d.T.*)

18

Mandy Wilkins appelait toujours ses employeurs «le client», même si elle avait déjà passé deux ans à leur service. C'était une certaine marque de chaussures de sport qui tenait son nom d'une certaine déesse de la Grèce antique. Peut-être aussi n'aimait-elle pas dire de gros mots.

«J'essaie de réunir qui peut, dit Mandy. Le client doit trancher dans quelques heures.

– Ça rapporte combien?

– Officiellement, juste une paire.

– J'en ai déjà carrément trop», dis-je. Une malle remplie de pompes, sans compter celles que j'avais données.

«Et cinquante dollars de ma poche, ça t'irait? Hunter, vraiment, j'ai besoin de toi.

– OK Mandy, comme tu veux.» Je regardai Jen qui s'occupait en passant ses numéros de téléphone en revue, n'écoutant pas par politesse, probablement un peu attristée à la vue de son portable en ruine (vieux d'au moins six mois). Je pris une décision.

«Je peux amener quelqu'un?

– Euh, bien sûr. Plus on est de fous... Mais il est... tu vois?»

Jen me jeta un coup d'œil et fronça les sourcils en se rendant compte que je parlais d'elle. Le soleil captait davantage de bleu dans ses cheveux. Je remarquai qu'elle s'était teint quelques fines mèches en violet très vif, cachées

19

sous les couches apparentes de cheveux noirs, ce qui laissait entrevoir des éclats de couleur lorsque le vent s'y engouffrait.

« Ouais. À fond. »

« Un testing *quoi* ?

— Un cool testing, répétai-je. Enfin, on appelle ça comme ça entre nous, Mandy et moi. Mais en réalité, ça s'appelle un groupe témoin.

— Témoin de quoi ? »

Je lui révélai le nom du client, qui ne récolta *aucun* Signe.

« Je sais, dis-je. Mais tu as droit à une paire gratuite plus cinquante billets. » Une fois les mots échappés de ma bouche, je me demandai si Mandy cracherait le fric pour Jen comme pour moi. Et sinon, Jen récolterait le mien. C'était tout bénef de toute façon.

Mais je me demandai surtout pourquoi je l'avais invitée. Normalement, les gens de ma profession n'aiment pas la concurrence. C'est le genre de boulot, comme la politique, où ça se bouscule au portillon et où tous ceux qui n'ont jamais essayé pensent qu'ils peuvent faire mieux.

« Ça me paraît un peu zarbi ton truc », dit Jen.

Je haussai les épaules. « C'est juste un boulot comme un autre. T'es payé pour donner ton opinion.

– On regarde des chaussures ?

– On regarde une pub. Trente secondes de télé, cinquante billets. »

Elle sonda du regard les courants de la rivière, se donnant deux secondes pour délibérer. Je savais ce qu'elle se disait. *Suis-je en train de me faire exploiter ? Suis-je une vendue si je cède ? Suis-je en train d'essayer de les rouler ? Me mènent-ils en bateau ? Je me prends pour qui là ? Ils s'en foutent bien de ce que je pense de toute façon.*

Ces choses-là m'avaient aussi traversé l'esprit.

Elle haussa les épaules. « Hé ! Cinquante billets. »

J'expirai d'un coup, me rendant alors compte que j'avais jusque-là retenu mon souffle. « Tout à fait de ton avis. »

Chapitre 2

Je reconnus la moitié des visages au testing. Antoine et Trez, qui travaillaient chez Dr Jay's dans le Bronx. Hiro Wakata, un skate sous le bras, et autour du cou des écouteurs assez énormes pour être portés lors des manœuvres d'atterrissage d'un avion avec gyrophares orange. La bande de Silicon Alley, emmenée par Lexa Legault cachée derrière une massive paire de lunettes à monture noire et armée d'un lecteur MP3 (fabriqué par une certaine boîte informatique dont le nom est celui d'un fruit souvent utilisé pour faire des tartes). Hillary Winston-particule-Smith, qui s'était encanaillée en descendant de sa Cinquième Avenue, et Tina Catalina, dont le T-shirt rose arborait un slogan en anglais rédigé sans conteste par quelqu'un qui ne parlait que japonais. Un vrai casting de têtes d'affiche.

Je me sentais toujours un peu mal à l'aise pendant ces réunions. La plupart des gamins de mon âge donnent leur avis gratuitement, simplement ravis qu'on le leur demande, et ne parviennent donc jamais à entrer dans le circuit des groupes-témoins-qui-paient. Jen et moi étions par conséquent les plus jeunes dans la pièce. Nous étions aussi les seuls à ne pas être fringués pour représenter une clique. Elle portait l'uniforme du parfait Antilogo et j'avais mon uniforme de camouflage urbain. Mon T-shirt sans marque était dans les tons chewing-gum séché, mon pantalon en velours côtelé d'un gris jour-de-pluie, ma casquette des Mets (et *pas* des Yankees) portée visière parfaitement de face. Comme un espion qui tente de se fondre dans la foule ou un type qui repeint son appart un jour de lessive, j'évitais de m'habiller genre cool les jours de groupe témoin, ce qui pour moi se serait apparenté à arriver saoul à une dégustation de vin.

Antoine cogna mon poing avec l'habituel « Hunter, yo, mec », tout en matant Jen, et il tiqua à la vue du ballon de basket qu'elle tenait sous le bras. Il s'imaginait de toute évidence qu'elle en faisait *carrément* trop. Mais quand son regard se posa sur ses baskets, il se remplit de joie.

« Bien, tes lacets.

– Je les ai vus en premier », dis-je avec fermeté. J'avais déjà balancé la photo par téléphone à Mandy, mais si Antoine avait le

malheur de bien les observer, le motif se pro-
pagerait à travers le Bronx comme une mauvaise grippe. Ou bien ça retomberait comme
un soufflé, allez savoir.

Il se rendit en levant les mains et s'interdit
de regarder au-dessous de ses chevilles. Les
loups ne se mangent pas entre eux.

Je me demandai encore une fois pourquoi
j'avais amené Jen ici. Pour l'impressionner?
Elle n'était franchement pas le genre à être
impressionnée, bien au contraire. Pour *les*
impressionner?

Qui s'intéresse à ce qu'ils pensent, hormis
une poignée de multinationales superpuis-
santes et cinq ou six magazines branchés?

«Ta nouvelle copine, Hunter?» Hillary de la
Particule matait aussi Jen mais d'un tout autre
œil, son regard bleu parcourant sa tenue Antilogo. La robe noire, le sac noir et les chaussures noires d'Hillary portaient tous un nom et
un prénom, leurs initiales forgées dans de tout
petits anneaux dorés qui, comme elle, venaient
de la Cinquième Avenue. Elle m'évita d'avoir à
lui donner la réplique. «Ah mais j'oubliais. Il
n'y en a pas eu dans le passé.

— Pas aussi passée que toi, c'est clair», lança
Jen qui n'en ratait pas une.

Antoine siffla et tournoya sur un talon dans
un crissement, dégageant le terrain. J'embar-
quai Jen avec moi vers les chaises placées à

l'autre bout de la salle de réunion, pour nous réfugier dans le champ impartial de Mandy, loin d'Hillary et de ses griffes acérées à cent dollars (la main).

«Salut Hunter, merci d'être venu.» Mandy avait clairement opté pour le total look client, rouge et blanc virgulé de partout. Elle était penchée sur la console de contrôle de la salle, certainement intimidée par sa complexité de vaisseau spatial.

Elle appuya sur un bouton et les rideaux se fermèrent progressivement jusqu'à l'obscurité totale, barrant la vue du seizième étage sur Central Park. Un quart de seconde plus tard, sur l'un des murs, deux panneaux de bois s'ouvrirent, laissant apparaître un téléviseur qui valait probablement plus cher qu'un Van Gogh, mais qui était bien plus plat.

«Voici Jen.

– Bien, tes lacets», dit Mandy, sans même prendre la peine de les regarder, m'adressant le Signe. J'aperçus le tirage photo de la basket de Jen glissé dans son classeur, déjà en route pour la production en série. J'installai Jen et lui chuchotai : «Elle t'approuve.

– Tout ça est très étrange, répondit-elle.

– Sans déc…»

Hillary de la Particule, qui avait récemment atteint la deuxième décennie, parvint à la fermer juste quand les lumières s'éteignirent.

La pub se déroulait dans le monde imaginaire standard du client. C'était la nuit, il pleuvait et tout était mouillé, lisse et sublime, des reflets bleus étincelaient sur toutes les surfaces chromées. Trois mannequins lookés façon client évoluaient à l'écran, quittant chacun leur travail glamour au rythme du remix tout juste dans les bacs d'un pseudo-DJ allemand réorchestrant un morceau plus vieux qu'Hillary. L'un des mannequins pilotait une superbe moto, le deuxième avait une bicyclette à cinquante vitesses au moins et le dernier (la femme, remarquai-je, ces choses-là sont primordiales) était à pied, ses baskets virgulées troublant des flaques d'eau où se reflétaient des panneaux RALENTIR.

«Ah ouais, j'ai pigé. FONCER», chuchota Jen.

Je gloussai. Le jargon du client comptait approximativement douze mots, mais au moins tout le monde le parlait couramment.

Et devinez quoi? Les trois mannequins se rendaient tous dans le même bar branché qui ressemblait à un croisement entre un boudoir industriel et un bloc opératoire. Ils commandaient tous les trois de chatoyantes bières anonymes, transportés de bonheur à l'idée de se voir et stimulés par leurs pérégrinations glamour à travers le monde imaginaire.

«Bouger c'est fun, chuchotai-je.

– Le fun, c'est bien », convint Jen.

La pub s'acheva sur une note larmoyante, nos héros laissant leurs bières intactes après avoir décidé qu'il valait mieux bouger. J'imagine qu'ils allaient piloter/courir ensemble ? Tout ça paraissait un peu étrange. Mais qu'importe.

Les lumières se rallumèrent.

« Alors ? » Mandy ouvrit grands les bras. « Que pensez-vous de RALENTIR ? »

C'est drôle que les pubs aient des titres, comme des petits films. Mais seuls les gens qui les réalisent – et les gens comme moi – sont au courant.

« J'ai bien aimé la moto, dit Tina Catalina. Les japonaises font un total come-back. »

Le regard de Mandy se posa sur Hiro Wakata, Seigneur des Deux-Roues, qui approuva du Signe, et elle cocha une case de son formulaire. J'aurais pensé que les américaines étaient à la mode, mais apparemment les gourous de la moto en avaient décidé autrement.

« Il claque, le remix », proposa Lexa Legault, et sa clique de cyber-dingues acquiesça. Le DJ allemand avait leurs voix.

« Les pompes assurent pas mal », dit Trez pour combler un bref silence. Cela devait faire des mois qu'Antoine et lui avaient donné leur approbation. Les chaussures qui ne passaient pas le test du Bronx étaient envoyées en Sibérie ou dans le New Jersey, enfin des endroits dans le genre.

Mais ce testing ne concernait pas vraiment les chaussures, de toute façon. Il s'agissait plutôt de savoir si tous les petits éléments du monde imaginaire collaient entre eux ou pas.

«Ça ne serait pas au Plastique qu'ils finissent? lança Hillary de la Particule. Ce club est tellement ringard.»

Mandy jeta un coup d'œil dans son classeur. «Non, c'est quelque part à Londres.» Ce qui cloua le bec d'Hillary. Le client était très malin : tourner les scènes de rue dans New York et les scènes d'intérieur à l'étranger. Il ne faut surtout pas laisser trop de réalité s'immiscer dans le monde imaginaire. La réalité a tendance à mal vieillir.

«Alors, vous avez aimé? demanda Mandy au groupe. Rien ne vous a semblé clocher?»

Elle parcourut la salle des yeux, dans l'expectative. La chasse au cool ne représentait qu'une partie de notre boulot. Le plus important était de traquer les trucs *pas* cool avant qu'il ne soit trop tard. Un peu comme un pilote de formule 1, le client se préoccupait plus des carambolages et des incendies que du fait de gagner chaque tour de circuit.

La salle demeura silencieuse et Mandy s'apprêtait joyeusement à reposer son classeur sur le bureau, lorsque Jen prit la parole :

«J'ai été un peu dérangée par la Combinaison Miss Black-Out.»

Mandy cligna des yeux. «La quoi?»

Jen, sentant les regards se poser sur elle, haussa les épaules, embarrassée.

«Ouais, je vois ce que tu veux dire», fis-je, bien que ce ne fût pas le cas.

Jen inspira doucement et rassembla ses pensées. «Regarde, le mec sur la moto était black. Le mec sur le vélo était blanc. La femme était blanche. C'est le trio habituel, tu vois? Comme si tout le monde était représenté. Alors que pas vraiment. J'appelle ça la combinaison Miss Black-Out. Et ça arrive assez souvent, en fait.»

Il y eut un court instant de silence. Mais les turbines tournaient à plein régime. Tina Catalina laissa échapper un grand soupir de connivence.

«Comme dans *Mod Squad*[1]! dit-elle.

— Ouais, intervint Hiro, ou les trois héros de…» Il cita une certaine trilogie de films qui aborde la cyber-réalité à coups de kung-fu figé et dont le titre se termine par *X*, ce que je considère comme une marque, par conséquent, elle ne sera pas citée dans ces pages.

------

1. Film américain de Scott Silver (1999) où trois jeunes délinquants aident la police de Los Angeles à faire respecter la loi dans les quartiers les plus chauds. (*N.d.T.*)

La digue avait cédé. Les titres d'une ribambelle de bandes dessinées, de films et de séries télévisées inondèrent la pièce, une douzaine de disques durs surchargés fouillaient le dossier culture pop de leur mémoire à la recherche d'exemples de la combinaison Miss Black-Out, jusqu'à ce que Mandy fût au bord des larmes.

Elle fit claquer son classeur sur le bureau.

«Est-ce que j'aurais *dû* être mise au courant?» dit-elle sèchement, scannant l'assemblée.

Un lourd silence s'abattit sur la salle de réunion. J'avais l'impression d'être l'homme de main du cerveau maléfique dans une certaine série de films d'agent secret quand les choses se mettent à mal tourner — comme si Mandy allait appuyer sur un bouton de la console de contrôle et que nous allions être éjectés par le toit, avec fauteuils et tout et tout, pour atterrir dans un lac au beau milieu de Central Park.

Mais Antoine s'éclaircit la voix et nous sauva des piranhas.

«Hé, moi, j'ai jamais entendu parler de cette combinaison Miss Machin avant.

— Moi non plus», dit Trez.

Lexa Legault frappait sur le clavier de son agenda électronique et dit: «J'ai rien trouvé. Zéro entrée correspondante dans...» Elle nomma un certain moteur de recherche

Internet dont le nom signifie «un très grand nombre» en anglais. (Là, j'abandonne, je n'arriverai jamais au bout de l'histoire si je ne peux pas dire «Google».)

«Aucune importance, dit Jen. Ça m'est juste venu à l'esprit comme ça.

— Ouais, comme si quelqu'un regardait encore *Mod Squad* aujourd'hui», fit remarquer Hillary de la Particule, qui leva les yeux au ciel, enchantée. Elle avait en tout cas l'air ravie de nous voir, nous, les petits jeunes, remis à notre place.

Les joues enflammées de Mandy s'apaisèrent. Elle n'avait pas laissé le client passer à côté d'une tendance, ni d'un nouveau concept culte, ni du dernier truc adocalyptique du moment. Tout cela n'était qu'une vue de l'esprit qui n'avait jamais existé avant la réunion d'aujourd'hui.

Mais au moment de partir, quand Mandy me paya (nous paya, en fait), elle me lança un regard noir et je compris alors que ça n'allait pas se passer comme ça. Quelque chose venait d'être inventé ici, et on n'avait pas fini d'en parler. C'était la nature même de ces réunions : la CMBO venait de vivre son dernier jour d'anonymat sur Google. Le client n'aurait plus qu'une semaine pour lancer puis retirer cette publicité de l'antenne avant que la nouvelle formule de Jen ne déchaîne les foules et la fasse chuter au même rang de ringardise qu'une série policière des années 1970.

L'attitude de Mandy me signifiait que j'avais commis un acte impardonnable.

J'avais invité un Innovateur à un cool testing, où seuls les Initiateurs étaient autorisés.

Chapitre 3

Au sommet de la pyramide, il y a les Innovateurs.

La première nana à accrocher son portefeuille à une grosse chaîne. Le premier gars à porter exprès un pantalon hypergrand. À laver son jean à l'acide, à planter une épingle à nourrice quelque part ou à mettre un sweat à capuche sous un blouson en cuir. Le premier mec mythique à porter sa casquette de baseball *à l'envers*.

Lorsqu'on les croise, la plupart des Innovateurs n'ont pas l'air particulièrement cool, enfin pas dans le sens «mode» du terme. Il y a toujours quelque chose de décalé chez eux. Comme si le monde les mettait mal à l'aise. La plupart des Innovateurs sont en réalité des Antilogo qui se débrouillent tant bien que mal avec leurs douze fringues qui ne sont ni branchées, ni démodées.

Sauf qu'avec eux, comme avec les lacets de

Jen, il y a toujours un élément qui se détache. Une nouveauté.

Au deuxième niveau de la pyramide se trouvent les Initiateurs.

L'objectif de l'Initiateur est d'être la deuxième personne au monde à attraper le dernier virus à la mode. Ils observent avec soin les innovations et sont toujours prêts à monter à bord. Mais le plus important, c'est que les autres les observent à leur tour. Et à l'inverse des Innovateurs, les Initiateurs *sont* cool, si bien que lorsqu'ils dénichent une nouveauté, celle-ci *devient* cool. Le rôle majeur d'un Initiateur, c'est d'être le gardien, le filtre qui dissocie les vrais Innovateurs des simples dingues habillés de sacs-poubelle. (Bien qu'il me semble qu'au cours des années 1980, certains Initiateurs se mirent vraiment à porter des sacs-poubelle. Sans commentaire.)

En troisième position, nous avons les Investisseurs.

Les Investisseurs ont toujours le dernier modèle de téléphone, le dernier modèle de lecteur en poche, et ce sont les gars qui téléchargent la bande-annonce d'un film un an avant sa sortie. (Avec l'âge, les placards des Investisseurs se remplissent de gadgets multimédias préhistoriques : vidéos Bétamax, disques laser vidéo, cassettes huit pistes.) La tendance est testée, rodée puis policée. Mais une chose majeure les différencie des Initiateurs : les Investisseurs ont vu leurs trucs d'abord dans un magazine, et non dans la rue.

Ensuite, nous avons les Consommateurs. Les gens qui doivent voir le produit à la télévision, casé dans deux films, quinze pubs de magazines et sur le gigantesque panneau d'un centre commercial, avant de s'exclamer : « Hé, c'est cool ! »

Alors qu'arrivé à ce stade, ça ne l'est plus.

En dernier, nous avons les Traînards. Je les trouve plutôt sympathiques. Fiers de leurs minivagues et de leurs queues-de-rat, ils résistent aux changements, du moins les changements opérés depuis leurs années de lycée. Et une fois tous les dix ans, ils sont forcés de constater avec une certaine gêne que leurs vestes en cuir marron col pelle à tarte sont redevenues, un court instant, cool.

Mais ils enfilent avec bravoure leurs T-shirts Kiss et retournent au combat.

La règle tacite voulait que les réunions de Mandy ne soient ouvertes qu'aux Initiateurs. Ou du moins à ceux qui, avant d'être embauchés par Mandy, avaient été des Initiateurs. Dès lors que l'on est payé pour être branché, qui peut dire ce que l'on est véritablement ?

Traqueur de cool ? Analyste de marché ? Arnaqueur ?

Juste bidon ?

Mais Jen n'était vraiment pas bidon, qu'elle récolte cinquante dollars pour donner son opinion ou pas. Elle était une Innovatrice. Et, j'aurais dû m'en douter, elle venait de commettre le péché originel : émettre une idée originale.

« Je t'ai causé des ennuis ? demanda-t-elle dans la rue.

— Nan, dis-je. (*Nan* veut dire "oui" en langage Hunter.)

— Arrête. Mandy a carrément failli bouffer son classeur. »

L'image me fit sourire. « Bon, d'accord. Tu m'as mis dans le pétrin. »

Jen soupira et baissa les yeux vers le trottoir maculé de chewing-gum. « À chaque fois c'est la même chose.

— Quelle chose ?

— Je dis le truc qu'il ne faut pas dire. » Je perçus dans sa voix une note de tristesse que je ne pus tolérer.

J'inspirai et lâchai d'une traite : « Tu veux dire quand tu traînes avec une nouvelle clique et qu'ils sont tous d'accord sur le dernier film à l'affiche qu'ils trouvent tous génial ou le groupe dont ils sont tous fans ou le dernier truc hypercool du moment, tu te retrouves malgré toi en train de leur sortir que c'est en fait franchement merdique ? (Parce que

36

ça l'est.) Et soudain ils sont tous là à te dévi-
sager ? »

Jen s'arrêta pile devant la boutique de la
NBA, bouche bée dans l'encadrement de l'im-
pitoyable vitrine placardée de logos des différentes équipes. Ébloui, je clignai des yeux.

« Je suppose, ouais, dit-elle. Je veux dire,
exactement. »

Je souris. J'avais fréquenté quelques Innovateurs, il fut un temps. Ce n'était pas chose
facile que d'en être un. « Et du coup tes amis
ne savent plus quoi faire de toi. Alors tu la
fermes, c'est ça ?

— Tu as tout bon. » Elle se retourna et nous
poursuivîmes notre chemin vers le centre-
ville dans la foule de costards-cravates. « Mais
je n'ai jamais vraiment pigé le coup du tu-la-
fermes.

— Tant mieux.

— Et c'est pour ça que je t'ai mis dans le
pétrin, Hunter.

— Et alors ? C'est pas comme s'ils pouvaient
rectifier la pub. Et c'est trop tard pour tout
refaire. Ça aurait été pire si tu avais dit que la
cravate du mec blanc était trop large. Là, ils
auraient été forcés de faire quelque chose.

— Oh ! génial, ça me soulage vachement.

— Jen, tu ne devrais pas t'en vouloir comme
ça. Tu as été la seule là-bas à dire un truc
intéressant. On a tous participé à des cen-

taines de testings de ce genre. On s'est peut-être ramollis.

— Ouais, et il y avait peut-être aussi un genre de CMBO dans cette salle de réunion.

— Tu crois ? » Je levai les yeux vers les gratte-ciel qui nous entouraient et je passai en revue tous les visages, tous les quartiers, les groupes cool et les circonscriptions représentées à ce testing. Je classai chaque participant dans sa case du cool diagramme de Venn[1].

Jen avait raison : le groupe témoin tout entier était une énorme combinaison Miss Black-Out.

« Je n'avais même pas remarqué.

— Vraiment ?

— Vraiment. » Je fus forcé de sourire. « Du coup, c'est encore mieux que tu aies parlé ouvertement. Ce n'est peut-être pas ce que Mandy voulait entendre, mais c'est ce qu'elle avait besoin d'entendre. »

Jen se tut alors que nous descendions dans le métro et nous fîmes glisser nos cartes pour activer les tourniquets.

Sur le quai, nous nous tînmes face à face, tout proches dans la foule de voyageurs à l'heure de pointe. Nous étions entourés d'hommes en bras de chemise, la veste à la

_____

1. Outil de logique utilisé dans la représentation des ensembles. (*N.d.T.*)

main dans la chaleur de l'été, et de femmes en tailleur, mais baskets aux pieds. (Je me suis toujours demandé qui avait été l'Innovatrice de *cette* tendance-là, combien de chevilles et plantes de pied avait-elle sauvées ?)

Jen avait toujours les yeux baissés et je vis l'expression sur son visage se modifier, ses sourcils froncés et ses yeux verts perdus dans un nouveau débat intérieur. Dans un moment d'égarement, j'imaginai qu'elle devait faire des grimaces aux enfants dans le métro sans que leurs parents s'en aperçoivent, et elle excellait certainement en la matière.

L'air chaud et puant lui fit froncer le nez. « Mais ne viens-tu pas de dire que ça n'allait rien changer ? »

Je haussai les épaules. « Pas en ce qui concerne RALENTIR. Mais peut-être la prochaine fois… »

Mon téléphone sonna. (Dans le métro ! Sans vouloir faire de pub, les Finlandais sont vraiment forts en téléphonie.)

Shoe girrrl, afficha l'écran.

Elle ne perd pas une minute, pensai-je.

Et là, tandis que je me tenais debout, pratiquement certain de me faire virer, un drôle de truc se passa. Je me rendis compte que je me fichais du boulot, de l'argent, ou des baskets à l'œil ; j'étais surtout furieux que ça se déroule sous les yeux de Jen, ça allait la contrarier à nouveau de savoir qu'elle m'avait fait perdre mon plus gros client.

« Salut Mandy.

– Je viens de raccrocher avec le client. La pub passe à l'antenne ce week-end, aucun changement.

– Félicitations.

– J'ai répété au client ce que toi et ta copine avez dit. »

J'allais ouvrir la bouche pour lui expliquer que ça n'avait pas été *mon* idée du tout. Mais ça n'aurait rien changé. Je ravalai donc mes mots.

« Ça les a intrigués », ajouta Mandy platement.

Un métro passa sur la voie d'en face et la conversation fut interrompue pendant dix secondes. Jen m'observait avec attention, affichant toujours sa tête spéciale mauvaises odeurs. Je fis mine d'être perplexe.

Le train s'engouffra avec fracas dans le tunnel.

« Intrigués genre furieux ou intrigués genre à embaucher un tueur à gages ?

– Intrigués genre intéressés, Hunter. Ils étaient ravis d'entendre un avis un peu original.

– Eh Mandy, le prends pas perso, je fais juste des photos.

– Je ne rigole pas. Ils étaient intéressés par ce que vous avez dit.

– Mais pas assez pour changer la pub.

– Non, Hunter. Pas assez intéressés pour refaire une pub à deux millions de dollars. Mais il y a cette autre affaire pour laquelle ils ont besoin de toi, un problème qui nécessite vraiment un avis original.

– Ah bon ? » Je lançai un regard confus à Jen. « Quel genre d'affaire ?

– Ça s'est produit la semaine dernière. C'est un peu bizarre, Hunter. Un gros truc. Tu dois voir par toi-même. Mais garde-le pour toi. Demain, ça te va ?

– Euh, je crois que c'est bon. Mais ce n'est pas vraiment moi qui...

– Retrouve-moi à Chinatown à onze heures et demie, au coin de Lispenard et Church, juste après Canal Street.

– OK.

– Et amène ta nouvelle amie, bien entendu. Ne sois pas en retard. »

Mandy raccrocha. Je laissai glisser le téléphone dans ma poche.

Jen s'éclaircit la voix. « Je t'ai fait virer, c'est ça ?

– Non, je ne crois pas. » Je tentai d'imaginer Mandy me retrouvant à Chinatown pour m'exploser la tête, me jeter dans l'Hudson, coulé dans le béton. « Non, sûrement pas.

– Qu'est-ce qu'elle a dit ?
– Je crois qu'on a été promus.
– On ? »

J'acquiesçai, un grand sourire aux lèvres. « Ouais, on. T'es libre demain ? »

Chapitre 4

« Tu t'es lavé les mains ? »

Mon père me posait cette question-là au petit déjeuner depuis que j'étais en âge de parler. Probablement même avant. Il est épidémiologiste, ce qui signifie qu'il étudie les épidémies et passe le plus clair de son temps à regarder des graphiques terrifiants sur la propagation des maladies. Ces graphiques qui se ressemblent tous plus ou moins — comme les avions de chasse au décollage — le rendent très soucieux des microbes.

« Oui, je me suis lavé les mains. » J'essaie de le dire exactement de la même manière chaque matin, comme un robot. Mais mon père ne s'en rend même pas compte.

« Je suis ravi de l'entendre. »

Ma mère afficha un petit sourire en me servant du café. Elle est créatrice de parfums, elle élabore des fragrances compliquées à partir de simples odeurs. Ses créations finissent dans les boutiques de la Cinquième Avenue, et je crois même en avoir reniflé une sur Hillary de la Particule. Tout à fait perturbant.

« Tu as quelque chose de prévu aujourd'hui, Hunter ? demanda-t-elle.

– Je pensais faire un tour à Chinatown.

– Oh, c'est *cool* Chinatown ces temps-ci ? »

OK. Mes parents ne comprennent pas trop mon boulot. Carrément pas du tout. Comme la plupart des parents, ils ne comprennent pas la notion de cool. En fait, ils ne *croient* pas vraiment en ce qui est cool. Ils pensent que c'est complètement bidon, comme dans ces vieux films où un gars se gratte l'aisselle sur une piste de danse et tout le monde s'y met jusqu'à ce que le grattage d'aisselle devienne la nouvelle danse du moment. Ben tiens.

Mes parents adorent mettre l'accent sur le mot *cool* lorsqu'ils prennent de mes nouvelles, comme si le fait de prononcer le mot d'un ton agaçant devait m'aider à réaliser son inhérente superficialité. Ou peut-être que le cool est juste une langue qui leur est à tous deux complètement étrangère et, comme de méprisants touristes, ils croient qu'ils ne pourront être compris qu'en hurlant.

Mais ils signent malgré tout la pile de formulaires d'autorisation que je leur laisse chaque semaine. (Puisque je suis mineur, les multinationales sont obligées de demander la permission

44

avant de me disséquer le cerveau.) Et les vêtements, téléphones et autres gadgets électroniques gratuits qui apparaissent dans le courrier ne semblent aucunement les déranger.

«Je ne sais pas, Maman. À mon avis, il y a des endroits de Chinatown cool et d'autres moins. Je ne chasse pas, je retrouve seulement une amie.

– On la connaît?

– Elle s'appelle Jen.»

Mon père posa son graphique terrifiant et haussa un sourcil. Ma mère haussa les deux.

«Ce n'est pas ma petite copine, dis-je, commettant une terrible erreur.

– Ah, non? fit Papa, souriant à demi. Pourquoi le fais-tu remarquer alors?»

Je grognai. «Parce que tu faisais une drôle de tête.

– Quel genre de tête?

– Je n'ai fait sa connaissance qu'hier.

– Waouh, dit Maman. Tu l'aimes vraiment bien, dis donc.»

Mes épaules s'affaissèrent et je levai les yeux au ciel, faisant passer un message quelque peu embrouillé. J'espérais que mon père mettrait mes rougeurs au visage sur le compte d'une soudaine montée de fièvre tropicale.

Mes parents et moi sommes très proches, mais ils se sont mis en tête l'idée très agaçante que je leur cache des pans gigantesques de ma vie amoureuse. Ce qui serait parfaitement normal, s'il y avait de gigantesques pans à leur cacher. Même des pans de taille moyenne.

Alors que je me réfugiais derrière ma tasse de café, ils restèrent assis en silence à attendre une réponse de ma part. Catastrophe, tout ce que je trouvai à dire fut :

« Ouais, elle est supercool. »

Jen était déjà là, elle portait un jean sans marque de la bonne largeur, les mêmes baskets aux lacets soleil-levant que la veille et un T-shirt noir. Un look très classique.

Elle ne me vit pas tout de suite. Les mains dans les poches, adossée à un réverbère, elle inspectait la rue. Le coin de Lispenard où Mandy avait prévu de nous retrouver était coincé entre les quartiers de Chinatown et Tribeca, moitié industriel, moitié tourist-land. La circulation du vendredi matin était constituée en majorité de camions de livraison. Des boîtes de design et des restaurants occupaient les rez-de-chaussée, leurs enseignes à la fois en chinois et en anglais. Certains endroits étaient condamnés et l'on apercevait sous l'asphalte des pavés qui trahissaient l'âge véritable du quartier. Les premiers avaient été posés dans ces rues par les Hollandais au XVIIe siècle.

Tous les immeubles qui nous entouraient avaient six étages. La plupart des bâtiments de

Manhattan sont de cette hauteur-là. Plus bas, ça ne vaut pas la peine de les construire. Plus haut, la loi vous oblige à installer un ascenseur. Les immeubles de six étages sont le T-shirt noir de l'architecture new-yorkaise.

J'allais appeler Jen quand elle me repéra, et elle me dit alors : «J'en reviens pas de faire ça.

— De faire quoi?

— D'être là en tant qu'*experte en coolerie*.»

Je ris. «Répète encore l'expression *experte en coolerie* deux ou trois fois et tu n'auras plus à te soucier d'en être une.»

Elle leva les yeux au ciel. «Tu vois très bien ce que je veux dire, Hunter.

— En fait, en ce qui concerne notre présence ici, je n'en sais pas plus que toi. Mandy a laissé planer le mystère.»

Jen avait les yeux rivés au sol, où l'on distinguait une pub pour un nouveau bar graffée à la bombe. «Mais elle voulait que je sois de la partie, non?

— Elle t'a spécialement demandée.

— Pourtant je croyais avoir tout fait foirer.

— Faire foirer les choses nécessite un certain talent. Comme je te l'ai fait remarquer hier, tu as l'œil. Et Mandy veut nous montrer quelque chose.

— Pour voir si c'est *cool*?»

Apparemment, c'était un de ces jours où on allait me servir ce mot à toutes les sauces. Je tendis les mains en signe de résignation. «Elle m'a simplement dit qu'elle avait besoin d'un avis original. C'est tout ce que je sais.

— Avis original ?» Les épaules de Jen se contractèrent, comme si son T-shirt noir avait rétréci au lavage. «T'as jamais l'impression que ton boulot est un peu bizarre ?»

Je haussai les épaules. C'est ce que je fais d'habitude quand une personne me pose une question philosophique au sujet de la chasse au cool.

Mais Jen ne tint pas compte de mon geste. «Tu vois parfaitement ce que je veux dire, non ?

— Écoute, Jen, la plupart des boulots sont bizarres. Mon père étudie la manière dont les gens s'éternuent dessus et ma mère gagne sa vie en créant des odeurs. D'autres sont payés pour écrire les potins de stars ou faire partie d'un jury de compétitions félines ou vendre des marchés à terme de viande de porc. Bien que je ne sois pas très sûr de ce que veut dire un marché à terme de viande de porc.»

Jen leva un sourcil. «Ce n'est pas mettre une option sur de la viande de porc à prix fixe ?»

J'ouvris la bouche et me trouvai sans voix. C'était mon petit topo stock-options et jamais personne n'avait relevé mon jargon cochon auparavant.

«Mon père est courtier en Bourse, s'excusa-t-elle.

— Alors, explique-moi : quelles raisons aurait-on de *vouloir* acheter de la viande de porc en masse ?

— Je n'en ai aucune idée.»

Sauvé. «Ce que je veux dire, c'est que si les gens sont payés pour faire ces trucs-là, pourquoi ne pas payer quelqu'un pour juger de ce qui est cool ?»

Jen ouvrit grands les bras. «Ça ne devrait pas tout simplement… *être* cool ?

— Émaner une sorte d'aura ou un truc dans le genre ?

— Non, mais si quelque chose est vraiment cool, les gens ne devraient-ils pas le découvrir eux-mêmes ? Pourquoi auraient-ils besoin de pubs comme RALENTIR, de magazines ou d'indications de tendance pour le leur expliquer ?

— Parce que la plupart des gens ne sont *pas* cool.

— Et qu'est-ce que t'en sais, toi ?

— Regarde autour de toi.»

Ce qu'elle fit. Le premier gars qui passait par là portait une chemise cinq fois trop grande pour lui (innovation des membres de gang pour cacher des armes dans leur ceinture), un bermuda qui lui arrivait sous le genou (innovation des surfeurs pour se protéger des coups de soleil sur les cuisses) et des baskets extralarges (innovation des skateurs pour éviter les blessures aux pieds). Toutes ces idées – jadis pratiques – réunies donnaient l'impression que le gars avait été frappé par un rayon rétrécissant et qu'il allait disparaître dans ses vêtements en criant « Sauve qui peut ! » d'une voix ridicule.

Jen ne put s'empêcher de sourire. Encore sauvé.

« Ce mec a besoin de notre aide, dis-je doucement.

— Ce mec-là ne sera *jamais* cool. Mais un tas de gens s'enrichissent sur ses tentatives. C'est son argent qu'on a gagné hier. »

Je soupirai, levai les yeux vers la bande de ciel et remarquai les drapeaux américains pâles et défraîchis suspendus aux issues de secours, qui frémissaient lentement dans la brise. Ils avaient tous été accrochés le même jour, sans la moindre pub incitant les gens à le faire.

Jen se taisait, pensant probablement que j'étais fâché contre elle.

Mais ce n'était pas le cas. Je réfléchissais à l'année 1918.

Grâce à mon père, j'en connaissais un rayon sur 1918, l'année d'une *très* méchante grippe. La maladie s'était propagée dans le monde entier, faisant plus de morts que la Première Guerre mondiale. Un *milliard* de personnes l'ont attrapé, presque un tiers de la population mondiale de l'époque. Et vous savez le plus étonnant ? Le virus ne s'est pas propagé par la radio et on ne l'a pas chopé en regardant la télévision ou en lisant les affiches sur les bus. Personne n'a été embauché pour le répandre. Ils ont tous contracté la maladie en se serrant la main ou en se faisant éternuer dessus par une autre personne qui l'avait déjà, d'accord ? Donc, en l'espace d'un an, presque chaque personne sur terre avait serré la main d'une autre personne qui avait serré la main d'une autre personne qui avait serré la main du patient Zéro (c'est ainsi qu'ils appellent les Innovateurs dans le monde fou de l'épidémiologie).

Alors imaginez qu'au lieu de répandre des germes en éternuant, tout ce petit monde se soit dit : « Waouh, cette nouvelle pastille mentholée est géniale ! T'en veux une ? » En moins d'un an, un milliard de personnes auraient consommé la nouvelle pastille sans que quiconque ait eu à dépenser un centime pour la publicité.

Ça vous fait plutôt réfléchir.

Le silence gêné s'éternisa un instant et je décelai en moi un peu d'exaspération en repensant à mes parents. S'ils ne m'avaient pas taquiné ce matin avec le boulot, je n'aurais pas perdu mon sang-froid avec Jen. Son raisonnement sur la chasse au cool était parfaitement valable – je suis juste fatigué de subir tous les jours le même refrain avec mes parents, avec les autres et avec moi-même.

Je cherchai quelque chose à dire, mais la grippe de 1918 était tout ce qui me venait à l'esprit, et c'était loin, à mes yeux, d'être un sujet de conversation palpitant. Parfois, je déteste mon cerveau.

Jen rompit finalement le silence.

«Elle ne va peut-être pas venir.»

Je vérifiai l'heure sur mon portable. Mandy avait dix minutes de retard, ce qui ne lui ressemblait pas. On parle de quelqu'un qui se trimballe avec un classeur.

Jen regardait au loin vers la bouche de métro la plus proche et j'eus l'impression désagréable qu'elle pensait à partir.

«Ouais, désolé, je vais l'appeler.» Je sélectionnai *shoe girrrl* dans mon répertoire et appuyai sur appel. Au bout de six sonneries, je tombai sur la boîte vocale de Mandy.

«Elle doit être dans le métro, dis-je en me préparant à laisser un message, mais Jen m'en empêcha en m'attrapant le poignet.

— Raccroche et rappelle.

— Quoi?

— Attends une seconde.» Elle suivit des yeux un camion qui passait, puis fit un signe de tête en direction du téléphone. «Raccroche et rappelle.

— OK», dis-je en haussant les épaules — c'est bien un truc d'Innovateur —, et j'appuyai sur appel.

Jen redressa la tête et fit quelques pas vers un mur en contreplaqué qui entourait un immeuble en ruine. Elle posa ses mains sur le bois et s'en rapprocha, comme si elle lisait l'avenir dans les couches d'affiches et de graffitis.

J'attendis encore six sonneries.

« Euh, Mandy, dis-je à la boîte vocale, c'était bien ce matin, non ? On est là, dis-nous où tu es. »

Jen se retourna, elle avait un regard étrange.

« Laisse-moi deviner, fit-elle. Malgré toutes ses chasses au cool, Mandy a des goûts musicaux style Top 50.

– Euh, ouais », dis-je. Jen était peut-être *vraiment* médium. « Mandy n'écoute pratiquement que… » Je nommai un certain groupe superstar suédois des années 1970 dont le nom ne contient que quatre lettres mais n'est pas un gros mot, à la fois label musical et label tout court, donc banni de ce livre.

« C'est ce que je pensais, dit Jen. Viens par ici. Et refais le numéro. »

Je me postai à côté d'elle et appuyai sur appel une fois de plus.

À travers le mur en contreplaqué branlant, nous entendîmes alors une ritournelle inoubliable qui s'échappait d'un minuscule téléphone cellulaire :

« *Take a chance on me…* »

Chapitre 5

«Hé! ho?» Je cognai sur le panneau de bois. «Mandy!»

Nous attendîmes. Pas de réponse.

Je recomposai le numéro encore une fois pour être sûr.

«*Take a chance on me...*» filtrait des graffitis et des affiches publicitaires qui recouvraient la palissade en contreplaqué.

«OK, dit Jen. Le téléphone de Mandy est là, à l'intérieur.»

Aucun de nous ne posa la question évidente : mais où était donc Mandy? Tout à fait ailleurs? Derrière ces murs mais sans connaissance? Ou pire que ça?

Jen trouva un endroit où deux des panneaux de contreplaqué étaient reliés par une chaîne, comme une porte à battants, qu'elle écarta autant que le lui permettait un gros cadenas. Se protégeant les yeux, elle regarda à travers l'étroite fente.

«On remet ça, maestro.»

J'appuyai sur appel et la petite mélodie se fit de nouveau entendre. Le refrain commençait à me rendre dingue, encore plus que d'habitude.

«Il y a un téléphone qui clignote à l'intérieur, dit Jen. Mais c'est tout ce que j'arrive à voir.»

Nous reculâmes dans la rue pour mieux jauger l'immeuble en ruine. Les fenêtres des étages supérieurs étaient condamnées par des parpaings, comme des yeux tristes et morts qui nous auraient observés d'en haut. Un serpentin de fil de fer barbelé couronnait les panneaux de contreplaqué entourant le rez-de-chaussée, des lambeaux de sacs plastique accrochés à ses piques flottaient au vent. Environ un mètre de ruban de cassette audio était entortillé dans le fil de fer et un vent léger le faisait onduler et vaciller au soleil.

L'immeuble était sûrement à l'abandon depuis des mois. Peut-être même des années. Vous imaginez, des *cassettes audio*?

«Impossible d'y entrer», dis-je, mais je m'aperçus que je parlais dans le vide.

Jen avait déjà gravi les marches du perron de l'immeuble voisin, elle pianotait au hasard sur les touches de l'interphone qui grésilla et une voix déformée se fit entendre.

«Livraison», dit Jen haut et fort.

La sonnerie d'ouverture automatique retentit, Jen bloqua la porte de son pied et me fit de grands signes impatients pour que je la suive.

Je pris mon courage à deux mains. Ça m'apprendra à traîner avec une Innovatrice.

Mais comme j'ai pu le mentionner ou l'insinuer, je suis un Initiateur. Notre raison de vivre est de suivre, d'être le deuxième. Je montai donc les marches quatre à quatre et saisis la poignée de la porte au moment où la sonnerie de l'interphone retentissait à nouveau, et Jen s'engouffra dans l'immeuble.

Sur le palier du troisième étage, un homme aux cheveux hirsutes pointait la tête dans l'entrebâillement de sa porte. Il nous regarda d'un air endormi.

« Le livreur est juste derrière », dit Jen, et elle poursuivit son ascension.

Après le sixième étage, nous trouvâmes les quelques marches qui menaient au toit. Une sorte de cage grillagée en empêchait l'accès, une mesure de précaution très courante pour éviter que les intrus pénètrent par le haut. En cas d'incendie, la porte s'ouvrait bien évidemment de l'intérieur mais une grosse étiquette rouge collée sur la barre qui servait de poignée signalait :

ATTENTION : ALARME DÉCLENCHÉE EN CAS D'OUVERTURE.

Haletant, je me remettais de mon effort, soulagé de ne pas pouvoir aller plus loin. Même si Jen était une Innovatrice, pénétrer par effraction dans un immeuble abandonné ne correspondait pas à l'idée que je me faisais du cool. Après réflexion, je pensai que nous devions appeler la police. Mandy s'était probablement fait braquer et son téléphone avait été balancé dans l'immeuble en ruine.

Mais où était-elle ?

« Tu connais le truc avec ces alarmes ? » demanda Jen, posant légèrement un doigt sur la barre.

Mon soulagement s'évanouit. « Y a un truc ?

– Ouais. » Elle poussa la barre et un bruit strident et assez puissant pour être entendu dans tout Chinatown envahit d'un coup la cage d'escalier.

« Elles finissent par s'arrêter toutes seules ! » hurla-t-elle au-dessus du bruit, et elle détala comme une flèche.

Je me bouchai les oreilles, jetant un dernier coup d'œil dans l'escalier, et imaginai les locataires exaspérés sortant tous sur leur palier. Puis je suivis Jen.

Le toit avait été recouvert de goudron et peint couleur argent afin d'éviter aux locataires du dernier étage d'être brûlés vifs par le soleil d'été. Nous le traversâmes à toute vitesse, l'alarme hurlant toujours comme une bouilloire géante et féroce.

L'immeuble voisin, celui dans lequel nous essayions d'entrer par effraction (correction : celui dans lequel Jen essayait d'entrer par effraction – j'étais juste là pour la forme), était situé à quelques mètres en contrebas. Elle s'assit sur le bord du toit et sauta, atterrissant sur du goudron noir et ravagé dans un bruit sourd qui parut douloureux.

Accroché au rebord, je me fis glisser le long de la façade et me laissai tomber d'une hauteur réduite, ce qui ne m'empêcha pas de me tordre la cheville.

Furieux, je suivis Jen en boitant. Tout cela était entièrement la faute du client. Une centaine de paires de chaussures et pas une seule basket prévue pour les braquages urbains.

La porte du toit de l'immeuble abandonné, tenant par une charnière comme une épaule déboîtée, s'ouvrit avec un grincement métallique. Au-delà du seuil, on distinguait un escalier sombre qui sentait la poussière, la vieille poubelle et quelque chose d'aussi fétide et répugnant que le jour où mes parents avaient trouvé un rat mort emmuré dans leur appartement.

Jen se tourna vers moi et me lança pour la première fois un regard quelque peu hésitant.

Elle ouvrit la bouche pour parler, mais au même moment l'alarme de l'immeuble voisin s'arrêta, nous laissant dans un silence accablant.

À travers l'écho de la sonnerie qui bourdonnait dans mes oreilles, je crus entendre une voix excédée qui venait de l'autre toit.

«Vas-y», chuchotai-je.

Nous nous engouffrâmes dans les ténèbres.

Lorsque je me balade dans New York en levant les yeux, je me demande souvent ce qui se passe derrière toutes ces fenêtres. Surtout celles qui sont vides.

Je me suis déjà rendu à des fêtes dans des squats, de vieux immeubles investis par des propriétaires très entreprenants qui se chargent personnellement des travaux. Et c'est de notoriété publique que les junkies et les SDF occupent les bâtiments abandonnés, peuplant cette réalité invisible tapie derrière les fenêtres condamnées par des parpaings. On dit même que Chinatown est secrètement régie par son propre gouvernement, un système de lois et d'obligations archaïques importées du Vieux Continent. J'ai toujours imaginé que tout cela était géré depuis un lieu comme celui-ci, un immeuble abandonné où se déroulaient les réunions municipales, les procès, et où l'on infligeait même des châtiments. En somme, tout était permis derrière ces fenêtres vides et sans visages.

Mais je n'aurais jamais cru le découvrir par moi-même.

L'air, chauffé à blanc par l'implacable soleil d'été, était irrespirable.

En descendant, la poussière que Jen remuait au passage tourbillonnait dans les quelques faisceaux de lumière. À mon grand soulagement, ses baskets laissaient des empreintes sur les marches. Peut-être que personne ne venait jamais ici. Peut-être que certains immeubles étaient tout simplement... déserts.

L'obscurité s'épaississait au fur et à mesure de notre descente.

Jen s'arrêta au bout de trois étages, attendant que nos yeux s'habituent à la lumière ; elle était attentive aux moindres sons.

Le bruit strident de l'alarme résonnait toujours à mes oreilles, mais a priori, personne de l'immeuble voisin ne nous avait suivis.

Qui ferait un truc aussi dingue ?

« Tu as des allumettes ? demanda Jen doucement.

— Non, mais ça marche aussi bien. » Je mis mon téléphone en mode caméra, prenant soin de détourner l'écran fluo pour ne pas m'aveugler. Le téléphone illuminait les ténèbres, telle une petite lampe de poche. Un truc bien utile quand on cherche ses clés tard le soir.

«Tu peux me dire ce qu'il ne fait pas, ce téléphone?

— Il n'a aucun pouvoir sur les junkies, dis-je. Ni sur les dirigeants du gouvernement top secret de Chinatown.

— Du quoi?

— Je te raconterai plus tard.»

Nous descendîmes les trois derniers étages, le téléphone projetait une étrange lumière bleue qui donnait à nos ombres dansantes une apparence spectrale.

Je baissai l'intensité de l'écran lorsque nous arrivâmes au rez-de-chaussée. Nos yeux s'étaient accoutumés à la pénombre et le soleil qui perçait maintenant à travers les interstices du contreplaqué brillait comme le feu des projecteurs. Quelques colonnes massives et carrées parsemaient l'espace dégagé et très haut de plafond. De grands trous béants et rectangulaires dans le mur laissaient deviner les vitrines de jadis. Seul le contreplaqué nous séparait de la rue. Même les éclats de verre avaient disparu.

«Quelqu'un utilise cet espace, dit Jen.

— Qu'est-ce que tu veux dire par là?»

Elle érafla de sa basket le sol en béton éclairé par un rayon de soleil.

«Pas de poussière.»

Elle avait raison. La lumière du soleil ne révéla aucun tourbillon de poussière autour de sa chaussure. Le sol avait été balayé récemment.

Je passai mon pouce sur la touche appel si familière. Le petit refrain disque d'or se fit entendre d'un coin éloigné de la pièce. En traversant avec précaution, je remarquai des piles de petites boîtes alignées contre le mur le plus proche du téléphone. Quelqu'un utilisait effectivement cet endroit comme entrepôt.

Jen s'accroupit, ramassa le téléphone et inspecta le sol alentour.

« Rien qui puisse appartenir à Mandy. Est-ce qu'elle porte un sac à main ?

— Juste un classeur. Si elle s'était fait braquer, tu crois qu'ils l'auraient gardé ?

— Ils ont peut-être jeté le téléphone pour qu'elle ne puisse pas appeler au secours.

— Peut-être… » Je me tus.

Instinctivement, ma main se dirigea vers les boîtes empilées, comme attirée par un flux magnétique familier. Mes doigts parcoururent les couvercles espacés tous les dix centimètres. Les boîtes étaient d'une taille et d'une forme si commune et si connue que je ne me rendis pas tout de suite compte de ce dont il s'agissait.

Des boîtes à chaussures.

Je tendis le bras et en attrapai une au sommet de la pile. Je l'ouvris et une odeur de plastique comme celle des voitures neuves s'en échappa. Dans un bruit de papier froissé, je sentis sous mes doigts du plastique, du caoutchouc et de la corde. Je soulevai la paire et la posai à même le sol dans un rayon de soleil.

Jen eut le souffle coupé et je reculai d'un pas, clignant des yeux à la vue soudaine de ces magnifiques pans de toile, lacets, languettes et semelles. Nous ne prononçâmes pas un mot, mais nous sûmes instantanément, tous les deux.

C'étaient les baskets les plus cool que nous ayons jamais vues.

Chapitre 6

Antoine m'avait raconté l'histoire de la basket des centaines de fois :

Au tout début, à la fin des années 1980, le client était roi. Un certain joueur de basket (dont le nom est carrément devenu une marque) l'avait couronné. L'industrie en fut métamorphosée et les chaussures bardées de suspensions à air, d'attaches Velcro, d'alvéoles de gel et autres diodes électroluminescentes. Un nouveau modèle par saison, puis par mois, et Antoine se mit à en acheter deux paires, l'une à porter, l'autre à conserver, comme les collectionneurs de bandes dessinées avec leurs pochettes en plastique.

Ça ne pouvait pas durer, bien sûr. Les gens voulaient des chaussures, pas des vaisseaux spatiaux. Les Innovateurs arpentèrent les centres commerciaux de banlieue en quête des modestes baskets de leur enfance. Les Initiateurs réclamèrent des catégories de chaussures totalement inédites : pour faire du skate, du snow-board, du surf, de la marche, du jogging et tout autre sport (les parachutistes ont probablement une chaussure conçue pour eux). Et pour faire gagner du temps à toutes les secrétaires, des modèles hybrides virent le jour, élégants au pied mais avec des semelles de caoutchouc.

Le client – et ses chaussures pseudo-smash-super-flashy – passa de mode. Le monde qu'il avait dominé disparut et se morcela en un patchwork d'ethnies, de tribus et de cliques, comme certains quartiers régis par un gang différent à chaque coin de rue.

Mais la paire sous nos yeux nous rappelait plutôt la bonne vieille basket d'Antoine, amoureusement rangée dans sa boîte au fin fond du Bronx, ces jours heureux, simples et bénis. Pas des vaisseaux spatiaux – juste des chaussures qui assurent à fond, classe et stylées.

Le top du cool.

«Waouh, fit Jen.
– Je sais.» Par réflexe, je pointai mon téléphone et pris une photo.

«Waouh», répéta-t-elle.

Je tendis le bras et ma main irradia dans le faisceau lumineux du soleil, comme si les chaussures me contaminaient avec leur magie. Je n'avais jamais rien vu de pareil, la texture des pans était aussi solide et malléable que de la toile mais avec la brillance argentée du métal. Les lacets me glissaient entre les doigts, aussi doux que des liens de soie. Les œillets semblaient avoir de minuscules rayons qui tournaient lorsque je pliais la chaussure, comme les cartes postales 3D vues sous des angles différents.

Mais ce n'étaient pas ces fioritures qui rendaient ces chaussures incroyables. C'était la façon dont elles m'appâtaient pour que je les porte, la façon dont elles m'assuraient que les chausser me donnerait des ailes. La façon dont elles m'enivraient au point que je veuille les acheter *maintenant*.

Je n'avais pas ressenti ça depuis l'âge de dix ans.

« Voilà donc ce que Mandy voulait qu'on voie.

– Sans blague, dis-je. Le client doit garder ça top secret.

– Le client ? Vise un peu mieux, Hunter. »

Jen désignait un cercle de plastique incrusté dans la languette, là où s'affichait le logo du client, fier et immaculé. Mon cerveau se remit progressivement de son éblouissement et je vis ce qu'elle avait remarqué du premier coup. Le logo – l'un des signes les plus connus au monde, en tête de liste avec le drapeau blanc de la reddition et le grand M jaune – avait été barré d'une diagonale rouge.

Comme un panneau « interdit de fumer ». Comme un panneau « interdit » de tout ce qu'on veut. La barre de négation, un symbole d'interdiction lui aussi reconnu dans le monde entier.

Un antilogo.

« Des contrefaçons », murmurai-je. C'était aussi un truc qui se passait dans les bas-fonds de Chinatown. Des rangées de petites échoppes discrètement alignées sur Canal Street où l'on pouvait acheter montres, jeans, sacs à main et chemises, portefeuilles et ceintures arborant tous les sigles cousus à la main de créateurs de renom. Des faux, bas de gamme. Certains risibles de grossièreté, d'autres plutôt potables, et un petit nombre qui demandait un œil aussi expert que celui d'Hillary de la Particule pour repérer la calomnieuse surpiqûre.

Mais qu'une contrefaçon soit *mieux* que l'original, c'était du jamais vu.

« Pas tout à fait des contrefaçons, Hunter. Ce que je veux dire c'est qu'elles affichent clairement ce qu'elles ne sont pas.

— C'est vrai. Je doute qu'un faussaire fasse ça.

— Mais qui *ferait* un truc pareil ? Quel est l'intérêt d'une contrefaçon non-contrefaçon ?

— Je ne sais pas, dis-je. Elles sont tellement géniales. La chaussure parfaite que le client n'a jamais réalisée. »

Jen secoua la tête. «Mais c'est Mandy qui nous a fait venir ici. Est-ce qu'elle travaille pour quelqu'un d'autre que le client?

— Non. Elle est en exclusivité.» Je fronçai les sourcils. «C'est peut-être vraiment leur chaussure. Ils ont peut-être un mégaplan pour se D-marquer à contresens. Ou bien elles sont censées ressembler à des contrefaçons mais elles n'en sont pas. Et lorsqu'elles seront devenues *trop* populaires, ce qui est inévitable, le client essuiera le contrecoup des pertes et redeviendra cool. Des contrefaçons ironiques.»

Embrouillé? Croyez-moi, j'en avais le tournis, et pourtant c'est mon boulot de raisonner comme ça.

«C'est complètement dingue, dit Jen. Ou un coup de génie. Ou quelque chose…

— Quelque chose de *vraiment* cool.

— Mais alors, où est Mandy?

— Ah, ouais.» Mandy manquait toujours à l'appel. Qu'est-ce que cela pouvait bien signifier?

Jen et moi restâmes plantés là, unis dans cet instant troublant et contemplatif, partageant l'insatiable plaisir de regarder en toute simplicité.

Puis j'entendis un bruit derrière nous, quelque part dans l'obscurité.

Je décollai mes yeux de la chaussure et les

levai en direction de Jen. Elle l'avait entendu aussi.

Fixant l'obscurité, je m'aperçus que le fait d'avoir contemplé la chaussure inondée de lumière avait anéanti ma vision nocturne. J'étais aveuglé, mais me doutais bien que la personne qui était ici même avec nous nous voyait parfaitement.

« Et merde », dis-je.

Jen ramassa les chaussures dans un léger bruissement de papier et les noua rapidement ensemble. Elle les pendit à son cou.

Je me relevai et sentis des fourmis dans l'un de mes pieds. Pas étonnant. J'aurais pu joyeusement me laisser mourir de faim à regarder ces chaussures.

Du coin de l'œil, je percevais des points lumineux qui dansaient, les pixels tentant tant bien que mal de se reconnecter au réseau pour me permettre de voir à nouveau. Une forme bougea dans l'ombre entre nous et l'escalier, quelqu'un de grand et de gracieux. Totalement silencieux.

« Bonjour ? » dis-je, ma voix se brisant avec virilité.

La silhouette s'immobilisa et recula dans l'obscurité. Je crus un bref instant que tout n'avait été qu'hallucination.

Puis Jen se lança.

Elle donna un grand coup de pied dans l'un des panneaux de contreplaqué qui, pendant un quart de seconde, laissa entrer un rayon de soleil aveuglant derrière moi. Il dévoila un colosse au crâne rasé — intimidant, certes, mais moins effrayant que le fantôme de mon imagination — qui se protégea les yeux de cette soudaine lumière.

« Cours ! » cria Jen, et je fis un bond en avant juste à temps pour éviter la montagne de boîtes à chaussures qui s'effondrait, la deuxième brillante idée de Jen. Enfin presque. Elles se mirent en travers de mon chemin et mes propres chaussures, soudain franchement nulles, écrasèrent les cartons neufs, et cela me brisa le cœur. (Antoine m'avait appris à chérir la boîte d'origine autant que la chaussure elle-même.) Mais je parvins à esquiver le type et j'atteignis les escaliers juste derrière Jen.

Nous remontâmes les marches quatre à quatre. Jen prit peu à peu de la distance alors que j'entendais l'homme qui nous pourchassait gagner du terrain. Je courais en aveugle et, pour aller plus vite, m'agrippais aux marches crasseuses, me cognant aux murs au fil de la lente spirale des étages ; ma cheville foulée me lançait à chaque pas.

J'étais hors d'haleine au bout du quatrième étage, mais l'homme s'était assez rapproché de moi pour que j'entende son souffle parfaitement régulier.

Au dernier étage, une main empoigna ma

70

cheville, sans succès ; elle n'eut pas assez de force pour me faire chuter.

Je sortis brusquement en plein soleil et clignai des yeux pour me protéger de la lumière aveuglante. Je faisais face au mur de plus de deux mètres qui se dressait entre moi et le toit de l'immeuble voisin. Jen y était déjà perchée et je me demandai si ses lacets soleil-levant ne lui donnaient pas des pouvoirs magiques pour courir et sauter.

« Hunter, baisse-toi ! » hurla-t-elle.

Ce que je fis.

Les chaussures les plus cool du monde passèrent au-dessus de ma tête, attachées l'une à l'autre par les lacets, tournoyant comme une fronde. J'entendis un grognement puis un bruit sourd tandis qu'elles s'enroulaient autour des pieds de mon agresseur qui s'effondra comme un sac de pierres.

Si cela n'était pas arrivé si vite, je pense que j'aurais dit : « Ne me sauve pas. Sauve les chaussures ! »

Mais au lieu de cela, je me précipitai, gravis le mur et vis Jen en train d'ouvrir la porte grillagée de l'immeuble voisin.

« Elle est fermée à clé ! » cria-t-elle et, cavalant à l'autre bout du toit, elle disparut en sautant sur un immeuble un peu plus bas. Je la talonnai, clopin-clopant.

Trois bâtiments plus loin, nous trouvâmes

une issue de secours ouverte, atteignîmes la rue et nous engouffrâmes dans un taxi.

C'est alors que je m'aperçus que j'avais perdu mon téléphone quelque part dans l'obscurité.

Chapitre 7

« Mon téléphone ! »

La réaction de panique habituelle : comme foudroyé, mon corps se raidit à l'arrière du taxi, mes mains plongèrent dans le fond de mes poches, dans les contrées où la monnaie et les miettes se côtoient.

Mais le fantastique téléphone finlandais ne réapparut pas comme par enchantement. Il avait bel et bien disparu.

« Tu l'as laissé tomber ?

— Ouais. » Je me revis me précipitant dans le noir, en train de gravir les marches à l'aide de mes mains. Je ne l'avais pas remis dans ma poche.

« Merde. J'espérais que tu avais photographié ce type. »

Je regardai Jen, ahuri. « Tu rêves. J'étais plus préoccupé par le fait de m'enfuir.

— C'est clair. S'enfuir de là était la priorité. »

Elle fit un grand sourire. «C'était cool, cette évasion.»

Mon visage dut exprimer un certain désaccord.

«Allez Hunter. Ça ne fait pas de mal de courir un peu, si?

– Je n'ai rien contre le fait de courir, Jen. Mais contre le fait de courir *pour sauver ma peau*, si. La prochaine fois qu'on entre quelque part par effraction, on devrait...

– Quoi? Voter d'abord?»

J'inspirai profondément et me laissai calmer par le bercement du taxi.

«N'en parlons plus.» Puis je grommelai à nouveau. «J'avais pris une photo des chaussures.

– Merde.» Là, elle était d'accord.

Nous observâmes une minute de silence en repensant à ce que représentaient les chaussures : un équilibre parfait de sobriété et de désir qui vous consume lentement, une friandise qui vous met l'eau à la bouche et vous laisse baba.

«Elles ne peuvent pas être aussi géniales que ça, dis-je.

– Manque de bol, elles l'étaient.

– Putain.» Je vérifiai une fois de plus le contenu de mes poches. Toujours aussi vides. «Plus de téléphone, plus de chaussures, plus de Mandy. C'est le désastre complet.

74

« — Pas tout à fait, Hunter. »

Jen brandit ce qui ressemblait à mon téléphone, mais pas de la bonne couleur.

Bien sûr. C'était celui de Mandy. Le même modèle que le mien (mais avec le cache rouge transparent). Elle était une Investisseuse acharnée et, comme moi, elle utilisait le téléphone pour travailler. La veille, je lui avais balancé la photo des lacets de Jen.

« Eh bien, c'est mieux que rien. »

Jen acquiesça. Un téléphone peut vous faire découvrir un tas de choses sur son propriétaire.

Elle se mit à parcourir le menu, clignant des yeux face au reflet lumineux de l'écran. Les petits bips me firent froid dans le dos, comme si on fouillait les poches de quelqu'un.

« Tu crois pas qu'on devrait appeler la police ?

— Pour leur dire quoi ? demanda Jen. Que Mandy a manqué un rendez-vous ? Tu regardes jamais les séries policières ? C'est une adulte. Elle ne sera considérée disparue qu'après vingt-quatre heures.

— Mais on a quand même trouvé son téléphone. Ça peut éveiller les soupçons, non ?

— Elle l'a peut-être laissé tomber.

— Et le type qui nous a coursés ? Et les baskets ?

— Ouais, tu as raison, on pourrait le raconter aux flics. Comment on est entrés par effraction dans un immeuble abandonné et comment on a découvert les chaussures les plus incroyables du monde. Et puis un dingue chauve est apparu et on s'est enfuis. Cette histoire va vraisemblablement renforcer notre crédibilité. »

Je gardai le silence un instant, à court d'arguments mais loin d'être tranquillisé.

« Jen, Mandy est mon amie. »

Elle se tourna vers moi, réfléchit un moment, puis hocha la tête.

« Tu as raison. On devrait aller voir les flics. Mais s'ils croient à notre histoire, ils nous confisqueront le téléphone.

– Et alors ? »

Jen se pencha à nouveau vers le petit écran. « Elle a peut-être pris des photos. »

Nous arrêtâmes le taxi, réglâmes la course et trouvâmes un café genre salon rustique : de vieux canapés, l'accès Internet haut débit et du café bien corsé servi dans des tasses grandes comme des bols à soupe.

Avant même de passer la porte, je remarquai le bracelet de Jen qui clignotait.

« C'est quoi ? »

Elle sourit. « C'est un détecteur Wi-Fi. Tu sais, comme ça tu n'as pas besoin d'allumer ton ordi pour voir s'il y a une connexion sans fil là où tu es. »

Je lui adressai le Signe. Je les avais repérés dans les magazines, très utiles pour détecter quels étaient les cafés et les hôtels équipés du service sans fil, mais porter le gadget comme un bijou, c'était une pure Innovation.

Nous prîmes possession d'un canapé et nous blottîmes autour du téléphone de Mandy, nos têtes se touchant presque pour aligner nos yeux sur les pixels du petit écran. Pas vraiment fait pour être consulté à deux, ce téléphone, mais je n'allais pas m'en plaindre. Aussi près, je pouvais sentir le shampooing de Jen, un soupçon de vanille qui tranchait avec l'odeur poussiéreuse du sofa mélangée aux arômes de café moulu. Son épaule était chaude contre la mienne.

« Quelque chose ne va pas ? demanda-t-elle.

– Euh, non. » Mémo perso : pas cool d'être déstabilisé par un simple contact physique.

Je sélectionnai la fonction photo, mes doigts parcourant les touches si cruellement familières (peut-être les Finlandais m'en enverraient-ils un nouveau). Le menu affichait cinq images, rangées par ordre chronologique. Un clic de pouce plus tard, une tête orange et velue envahit l'écran.

« C'est le chat de Mandy, Muffin. Il mange les cafards.

– Un animal bien utile. »

Au clic suivant s'afficha une jeune Latino qui souriait tout en chassant la caméra d'un geste, devant une table de petit déjeuner qui occupait un tiers de l'écran.

«Cassandra, sa colocataire. Ou bien sa copine – nul ne sait.

– Disons sa copine, dit Jen. Personne ne perd son temps à photographier sa colocataire.

– Peut-être pas, mais quand j'ai reçu mon téléphone, au début, je photographiais même mon tiroir à chaussettes.»

Elle m'agrippa le bras. «Comment vas-tu pouvoir vivre sans?

– Je n'appelle pas ça vivre.»

Je cliquai encore. Un type portant un béret noir apparut, un béret un peu plus mou que ceux en vogue il fut un temps. Une photo de chasse au cool.

«Le logo est trop gros, le revers trop étroit, dit Jen. Et jamais de béret l'été.

– Et cette chemise fait vraiment trop bourge, dis-je. Pas le genre de truc qu'on voit à China-town.» Je vérifiai la date de la photo. «Elle l'a prise hier.»

Jen sursauta à la vue de la photo suivante. C'était une chaussure, la chaussure de *Jen*, les lacets soleil-levant repérables instantanément. Je voyais même le dessin hexagonal de l'allée piétonne de l'East River Park.

«Est-ce…? C'est la photo que tu…

– Euh ouais, je l'ai envoyée à Mandy»,
avouai-je.

Elle s'écarta et se tourna vers moi en fron-
çant les sourcils. Je sentis s'étioler l'intimité
canapé rustique qui s'était tissée entre nous.

«Tu n'as toujours pas compris ce que je fais
dans la vie ou quoi?

– Si, bien sûr, mais laisse-moi le temps de
digérer l'info.» Elle baissa les yeux sur ses
lacets. «J'essaie de savoir s'il y a eu violation
de la vie privée.

– Euh, plutôt flatterie, non?

– Attends un peu : qu'est-ce que Mandy
allait en faire exactement?

– Y jeter un coup d'œil? La balancer dans
la chaîne alimentaire, qui sait?» J'éclaircis
ma voix et tentai le tout pour le tout. «L'utiliser dans une ou deux pubs, peut-être. Lancer l'idée en grande distribution. La rendre
accessible dans tous les centres commerciaux des États-Unis. La surexploiter, en
somme.»

Je lus une foule de questions dans le regard
de Jen, les questions habituelles : *Suis-je en
train de me faire arnaquer? Est-ce un compli-
ment? Suis-je secrètement célèbre? Quand est-
ce que je touche mon pourcentage?*

Et, bien entendu : *Ai-je affaire à un connard
fini ou quoi?*

«Waouh, lâcha-t-elle après un long moment

de gêne. Je me suis toujours demandé comment ça arrivait.

– Comment quoi arrivait ?

– Comment les trucs cool cessaient d'être cool si rapidement. Un jour, on voit un groupe de Mexicains qui portent des tabliers dans la rue. Et dix minutes plus tard on les retrouve en grande surface. J'avoue que je ne me rendais pas compte à quel point c'était une véritable industrie. J'imaginais que certaines choses se faisaient tout de même naturellement. »

Je soupirai. « C'est parfois le cas. Mais la plupart du temps, on donne un coup de pouce à la nature.

– C'est ça. Comme les couchers de soleil pollués.

– Ou les bananes génétiquement modifiées. »

Elle rit, jetant à nouveau un coup d'œil à ses lacets. « OK, je m'en remettrai. Tu sais vraiment flatter une fille. »

Je souris, ravi – avec cette soudaine et totale incapacité à détecter l'ironie au moment où on en a le plus besoin –, alors qu'un tas de questions me traversaient l'esprit : *Est-elle vraiment flattée ? Est-ce que je suis un imposteur ? Est-ce que j'ai tout gâché ? Et « tout », c'est quoi au juste ?*

Pour masquer ma confusion, je cliquai sur la photo suivante.

La chaussure.

Mon cerveau se calma, apaisé par la beauté. Nous nous pressâmes à nouveau l'un contre l'autre, blottis pour mieux voir le petit écran. L'image était minuscule, mal éclairée et mortellement floue, mais on distinguait malgré tout les lignes élégantes et les matières.

Nous restâmes assis une bonne minute, nous délectant de cette beauté, alors qu'autour de nous la musique trance-ambiance s'échappait des enceintes, les cappuccinos vrombissaient un à un et les pseudo-écrivains travaillaient à des romans qui se déroulaient dans des cafés. Un moment d'extase où nos épaules s'unirent et je me sentis pardonné d'avoir volé le truc des lacets de Jen. La chaussure contrefaçon-ou-pas était vraiment trop bien.

Nous nous séparâmes finalement, clignant des yeux et hors d'haleine, comme si nous avions partagé un baiser et non un écran de téléphone.

« Quand est-ce qu'elle a pris ça ? » demanda Jen.

Je vérifiai la date. « Hier. Quelques heures avant le testing.

— Elle a l'air d'être posée sur une table.

— Je crois que c'est son bureau. » La chaussure était placée sur une surface jonchée de papiers qui ressemblait beaucoup au bureau de Mandy dans la tour du client située au cœur de Manhattan.

«Ce qui veut dire... Qu'est-ce que ça veut dire?

— Va savoir. Et la dernière photo?»

Elle fixa l'écran avec avidité un instant de plus avant d'acquiescer.

Je cliquai. C'était une photo de rien, sombre et floue. Ou bien de quelque chose de terrible.

Une entaille de lumière traversait le coin de l'écran de manière abstraite. Des taches grises de tonalités différentes le marbraient comme un imprimé camouflage. Soit une photo accidentelle des fonds de poche de Mandy, l'équivalent visuel des appels aléatoires émis par un téléphone qui se morfond, soit une photo de Mandy se faisant agresser, kidnapper ou pire encore. Elle avait peut-être tenté d'enregistrer ce qui lui était arrivé, pour ensuite jeter le téléphone dans l'espoir que quelqu'un le trouverait.

Mais je ne discernais pas grand-chose.

«Attends.» Jen rapprocha ma main de ses yeux, toujours rivés au téléphone. «Il y a un visage...» Elle se détourna, secouant la tête. «Peut-être. Essaie, toi.»

Je regardai de plus près. Quelque part dans le tourbillon de gris, on distinguait quelque chose. Une chose que mon cerveau, si je le laissais faire, transformerait lentement en un visage.

Ce qui me fit flipper et me colla aussi mal à la tête.

Je jetai un œil à la date. «La photo a été prise il y a à peine une heure.

— Un peu avant onze heures ? C'est à peu près l'heure à laquelle je suis arrivée.

— Mais tu n'as rien remarqué ?»

Jen secoua de nouveau la tête et reporta son attention sur l'écran minuscule.

«Tu peux transférer ces photos sur un ordinateur, non ? Il y a peut-être un logiciel capable d'améliorer la définition de l'image.»

J'acquiesçai. «J'ai une amie qui fait des effets spéciaux.

— Et les flics, Hunter ?»

Je pris une profonde inspiration. Lexa habitait à seulement deux pâtés de maisons. Ça ne prendrait qu'un instant.

«Ils attendront.»

Chapitre 8

« Il faut enlever ses chaussures », dis-je à Jen sur le pas de la porte de Lexa.

« OK. » Elle se pencha pour défaire un lacet. « Un truc zen ?

– Non, un truc propre. »

Lexa Legault passait l'aspirateur chaque jour dans son appartement avec un engin supersonique qui laissait l'endroit aussi impeccable qu'un labo de biotechnologie. Je m'étais toujours dit qu'elle aurait dû exiger de ses invités qu'ils portent des combinaisons blanches et des masques, mais je suppose que cela aurait été un peu exagéré. Lexa (l'abréviation d'Alexandra) ne fabriquait pas encore ses propres puces informatiques.

Elle fabriquait cependant ses propres ordinateurs qui passaient le plus clair de leur temps les entrailles à tous vents, dans un état de rafistolage perpétuel. Dans l'appartement de Lexa, la poussière, c'était le Mal.

J'avais déjà sonné, mais la porte ne s'ouvrit que lorsque je donnai le signal les-chaussures-sont-enlevées.

Lexa était vêtue d'un treillis immaculé et d'un T-shirt rose moulant, un agenda électronique clippé à sa ceinture. Elle avait tous les atouts d'une première de la classe : un sourire timide, de grosses lunettes, des cheveux courts qui encadraient un visage de lutin et les goûts vestimentaires d'une ado japonaise. Un look simple et une aisance naturelle, comme ces femmes que les créateurs de mode croquent d'un coup de crayon.

Au départ, lorsque j'avais rencontré Lexa, j'en avais pincé pour elle pendant des mois, jusqu'au jour terrible où elle m'avait dit qu'une des choses qu'elle aimait en moi, c'était qu'elle avait l'impression de se voir – mais à l'époque où elle était plus jeune et pas aussi ennuyeusement équilibrée. Je ne lui ai jamais fait part de mes sentiments, bien entendu, mais bonjour la claque.

« Salut Hunter. » Elle me serra dans ses bras et recula tout en regardant par-dessus mon épaule. « Oh, salut…

– Jen, l'informai-je.

– Ouais, dit-elle en hochant lentement la tête. J'ai bien aimé ce que tu as dit hier, Jen. Très cool. »

Un sourire penaud apparut sur le visage de

Jen, ce sourire que j'appréciais de plus en plus. « Merci. »

Nous nous glissâmes dans l'appartement et Lexa referma immédiatement la porte pour parer à un éventuel tourbillon de poussière qui s'engouffrerait derrière nous.

Je lui tendis le café que nous avions apporté en guise d'offrande. Elle disait toujours que son cerveau n'était rien d'autre qu'une machine à transformer le café en effets spéciaux.

Jen admirait la splendeur high-tech du lieu et ses yeux s'écarquillaient au fur et à mesure qu'ils s'habituaient à l'obscurité. Pratiquement aucune lumière du jour ne pénétrait au-delà des lourds rideaux (comme la poussière, la lumière du jour, c'était le Mal), mais l'appartement brillait de toutes parts. Tout le mobilier de Lexa était en acier inoxydable, comme dans les cuisines de restaurants. Les yeux rouges et verts des gadgets éparpillés qui se rechargeaient faisaient scintiller le métal : quelques téléphones, un lecteur MP3, trois ordinateurs portables et une brosse à dents électrique près de l'évier de la cuisine. (Malgré tout le café, les dents de Lexa étaient aussi éclatantes que son appartement.) Et il y avait bien sûr plusieurs ordinateurs avec l'écran en veille, les taches de couleur mouvantes se reflétant dans la pièce. Le bracelet Wi-Fi de Jen entra dans la danse scintillante, excité par l'incessant trafic sans fils. Lexa remarqua le bracelet et fit le Signe. Ce geste d'approbation m'enchanta secrètement.

Des étagères en acier couraient le long des murs, remplies de puces, de disques durs et autres câbles, toutes ces pièces détachées rangées par code couleur. Alignées sur les étagères du haut, une douzaine de bûches électriques avec leurs fausses braises irradiaient le plafond d'une vibrante lumière rose.

La frontière est parfois très mince entre le cool et l'excentrique. Que l'on soit l'un ou l'autre dépend de l'effet global. L'appartement de Lexa m'avait toujours procuré une sensation de calme, une pièce pleine de bougies sans les dangers du feu. Comme si on était à l'intérieur d'une gigantesque tête en pleine méditation. Peut-être un truc zen, après tout.

Bien gagner sa vie permet aussi d'éviter de tomber dans la catégorie des excentriques. Lexa était connue pour les effets spéciaux qu'elle avait réalisés pour une certaine trilogie cinématographique mentionnée plus tôt, celle du kung-fu figé et des tonnes de munitions. Avec de bons revenus, Lexa s'adonnait à la chasse au cool par hobby, presque par vocation. Son but dans la vie était d'influencer les fabricants de lecteurs MP3, de téléphones cellulaires et d'agendas électroniques pour qu'ils adoptent les règles du bon design – lignes pures, boutons ergonomiques, lumières à clignotement doux.

« Ça fait longtemps que tu n'es pas venu, Hunter. » Elle jeta un coup d'œil à Jen, se demandant si j'avais été occupé.

« Ouais, tu sais. L'été.

— Tu as reçu mon e-mail à propos de SHIFT ?

— Euh, ouais. »

Un dernier mot sur les excentriques . un Innovateur, ami de Lexa, avait une théorie selon laquelle les lettres majuscules allaient revenir en force. Tous les gamins internautes qui n'avaient jamais appuyé de leur vie sur la touche SHIFT (sauf pour écrire le signe @) allaient commencer à mettre des majuscules en début de phrase, à l'initiale de leurs prénoms et même à d'autres noms propres. Lexa n'était pas vraiment convaincue que ce séisme majuscule fût imminent, mais elle voulait y croire désespérément. La paresse typographique détruisait lentement notre culture, selon Lexa et ses copains. L'inexactitude était la mort assurée.

Les détails concernant la théorie étaient assez flous. Mais le concept SHIFT était que si suffisamment d'Initiateurs utilisaient les majuscules dans leurs e-mails et leurs courriers, la masse suivrait.

« Tu ne t'es pas inscrit, c'est ça ? »

Je m'éclaircis la voix. « L'intégralité du projet SHIFT me laisse un peu sceptique.

— Sceptique ? Tu veux dire que tu n'es pas

sûr que les majuscules existent vraiment?»
Lexa avait parfois tendance à prendre les choses au pied de la lettre.

«Non, je crois en leur existence. J'en ai
même déjà vu. Mais de là à en faire un *mouvement*...

– De quoi vous parlez?»

Lexa se tourna vers Jen, le regard enflammé
à l'idée d'une éventuelle conversion. «Tu
as remarqué comme personne n'utilise plus
de majuscules? Ils bidouillent bêtement en
minuscules comme s'ils ne savaient plus où
commence la phrase.

– Ouais, ça m'exaspère.»

Le sourire superéclatant de Lexa était aveuglant dans la pénombre rose. «Ah, alors il faut
absolument que tu t'inscrives à SHIFT. C'est
quoi ton adresse e-mail?

– Hum, Lexa, je peux t'interrompre?»

Elle s'arrêta, son agenda électronique déjà
dégrafé de sa ceinture, prête à enregistrer
l'adresse de Jen.

«On est venus ici pour un truc important.

– Bien sûr, Hunter.» Elle raccrocha à
contrecœur son minuscule ordinateur. «Je
t'écoute.

– Mandy a disparu.»

Lexa croisa les bras. «Disparu? Précise.

– Elle était censée nous retrouver à Chinatown ce matin, dis-je. Elle n'est jamais venue.

« — Tu as essayé de l'appeler ?

— Ouais, et c'est comme ça qu'on est tombés là-dessus. » Je lui montrai le téléphone de Mandy.

« C'est celui de Mandy, dit Jen. Il était dans un immeuble abandonné à côté du lieu de rendez-vous.

— C'est un peu flippant, admit Lexa.

— Plus qu'un peu, dit Jen. Il y a une photo dans le téléphone. Elle est floue mais assez effrayante. Comme si quelque chose lui était arrivé. »

Lexa tendit le bras. « Je peux ?

— On n'en attendait pas moins. »

Utiliser les logiciels cinématographiques de Lexa pour ausculter une photo digitale de la taille d'un timbre-poste équivalait à utiliser un vaisseau spatial pour aller au bout de la rue. Mais le résultat était tout aussi stupéfiant.

Sur le grand écran plat de Lexa, la dernière photo de Mandy avait l'air cent fois plus inquiétante. On comprenait mieux ce qu'était l'entaille de lumière qui traversait l'un des coins. Il s'agissait de la fente entre les planches de contreplaqué de l'immeuble abandonné par laquelle pénétrait la lumière du jour. La photo avait de toute évidence été prise de l'intérieur, à quelques pas de l'endroit où nous avions trouvé le téléphone.

« On dirait que ça a été ouvert », dit Jen

en se levant. Ses doigts suivirent la forme d'un serpent noir dans l'entaille de lumière, une chaîne se balançait librement entre les planches et on distinguait le contour flou du cadenas qui pendait à l'un des bouts. L'espace semblait assez large pour qu'une personne puisse s'y faufiler.

« Bon, Mandy avait une clé, dis-je. Elle avait laissé entendre qu'elle allait nous montrer quelque chose. »

Jen pointa l'écran du doigt. « Mais quand elle a ouvert, il y avait déjà quelqu'un. »

Je plissai les yeux pour mieux distinguer la forme tapie dans le coin le plus sombre de la photo. À ce point agrandie, elle ressemblait moins à un visage, le dégradé de gris était moins uniforme, comme un indic de la mafia dont l'identité aurait été modifiée par ordinateur.

« Qu'en penses-tu, Lexa ? C'est un visage ou pas ? »

Elle plissa aussi les yeux. « Ouais, ça se pourrait.

— Tu as les moyens d'améliorer l'image ? » demanda Jen.

Lexa croisa les bras. « Améliorer ? Précise.

— Eh bien, pour que ça ressemble plus à un visage. Comme dans les séries policières où les gars du FBI manipulent les photos avec des trucs informatiques ? »

Lexa soupira. «Que je vous explique : ces scènes-là sont truquées. Tu ne peux pas vraiment rendre une photo floue plus nette, les données ont déjà disparu. En plus, en ce qui concerne les visages, le cerveau dépasse tous les ordinateurs du monde.

— Et donner un petit coup de main à nos cerveaux, c'est possible ? demandai-je.

— Écoutez, j'ai créé des vagues, des carambolages, des tourbillons d'astéroïdes. J'ai effacé des boutons sur les mains des stars, fait la pluie et le beau temps, j'ai même rajouté de la fumée à la bouche d'une actrice qui refusait de porter à ses lèvres une cigarette allumée. Mais vous savez ce qui est le plus difficile à animer ? »

Jen tenta lc coup. «Un visage humain ?

— Exactement.

— Parce que c'est très mobile ? »

Lexa secoua la tête. «Les humains ne sont pas particulièrement expressifs. La gueule des singes est plus musclée, les chiens ont des yeux bien plus grands et les chats ont des moustaches très réactives. Même nos oreilles à la con ne bougent pas. Ce qui rend les humains si difficiles à recréer, c'est le public. *Nous sommes* des humains et nous passons notre existence à apprendre à décrypter les expressions d'autrui. Nous sommes capables de détecter une pointe de colère sur le visage d'une personne à cent mètres dans le brouillard. Nos cerveaux sont des machines à transformer le café en décryptage facial. Buvez un coup et voyez vous-mêmes.»

J'avalai le fond de marc de café froid qui restait dans mon gobelet et fixai l'image. *C'était* un visage, je n'en doutais plus, et il me rappelait quelqu'un.

«Cela dit, honnêtement, ceci peut aider.» Lexa se leva mais ne saisit pas la souris. Elle fouilla dans un tiroir de la cuisine et en sortit une longue boîte étroite. Dans un froissement, elle déchira une grande feuille de papier sulfurisé, le genre de papier que l'on utilise pour emballer les sandwichs. Elle plaça le papier translucide devant l'écran.

«Ne dites à personne que je vous ai dit ça, mais parfois, le flou, c'est mieux que le net.»

Jen et moi sursautâmes. On distinguait à travers l'image trouble du papier quelque chose de reconnaissable.

Le visage de l'homme qui nous avait poursuivis dans le noir. Le crâne chauve était maintenant une évidence, le front proéminent, la bouche enfantine, tout se dessinait avec cohérence dans le flou de l'écran. Et Lexa avait raison : on pouvait parfaitement lire l'expression de son visage à travers le papier sulfurisé, les pixels et l'obscurité. Le type était pressé, déterminé et maîtrisait complètement la situation.

Il allait s'en prendre à Mandy, de la même façon qu'il s'en était pris à nous.

Nous restâmes plantés là en silence, paralysés, comme s'il venait de traverser l'écran et se trouvait dans la pièce. Soudain, une mélodie suédoise guillerette se fit entendre.

« *Take a chance on me...* »

Le téléphone de Mandy s'était animé, les lumières clignotaient à tout-va. Lexa fit un pas en avant, le prit et regarda le petit écran.

« C'est drôle.

– Qui est-ce qui appelle ? » demandai-je.

Lexa haussa un sourcil.

« Toi, Hunter. »

Chapitre 9

Lexa me tendit le téléphone. Le tube suédois résonnait toujours, insistant et diabolique.

Sur l'écran lumineux, on pouvait lire *Appel entrant : Hunter*.

« C'est vraiment moi, dis-je à Jen. C'est mon téléphone qui appelle.

— Tu devrais peut-être répondre.

— Ah, ouais. » Je pris mon courage à deux mains et répondis. « Allô ?

— Salut, euh, j'appelle parce que j'ai trouvé ce téléphone. Je voudrais le rendre à son propriétaire.

— Vraiment ? » Mon petit cœur naïf fit un bond.

« Ouais, et votre numéro était en mémoire dans les derniers appels, donc je me suis dit que le téléphone devait appartenir à un de vos amis. Vous pourriez peut-être me donner le nom du gars ou son adresse ?

— Ouais, en fait c'est… »

Je m'interrompis alors que je reprenais mes esprits : comment cette personne pouvait-elle supposer que le propriétaire du téléphone était un homme ?

« Euh, en fait… »

Je levai les yeux vers le visage sur l'écran, à un mètre de moi à peine. La voix de mon interlocuteur était celle d'un homme, et d'un homme apparemment bien baraqué.

Peut-être *ce* gars-là.

Je m'éclaircis la voix. « En fait, je ne connais pas ce numéro.

— Vous en êtes certain ? Vous l'avez appelé il y a une heure de ça. Genre, quatre fois de suite.

— Euh, ouais, c'était un mauvais numéro, dis-je, en essayant de garder une voix stable. Je ne connais absolument pas ce numéro.

— Oh, OK. Désolé de vous avoir dérangé… Shoe Girl. »

La communication fut interrompue.

Il avait dit « Shoe Girl ». C'était le nom qu'avait Mandy dans mon téléphone : *shoe girrrl*, son nom de code. Il savait que j'avais menti.

« C'était lui, n'est-ce pas ? » interrogea Jen.

Je hochai la tête, regardant le visage sombre sur l'écran. « Il appelle tous les numéros en mémoire en disant qu'il aimerait rendre ce téléphone à son propriétaire. Il essaie de trouver quelqu'un qui lui donnera mon adresse.

– Oh merde, dit Jen. Mais personne ne le fera, tu ne crois pas ?

– J'ai à peu près cent numéros dans ce téléphone. Quelqu'un finira bien par vendre la mèche. Genre ma tante Macy du Minnesota.

– Tu pourrais appeler ta tante, suggéra Jen, et tous tes amis proches, ceux qui connaissent ton adresse, et leur expliquer ce qui t'arrive.

– Ça marcherait si je *pouvais* les appeler. » Je secouai la tête. « Je ne connais aucun numéro par cœur. Sans ce téléphone, je suis grillé.

– Tu ne sauvegardes jamais ? demanda Lexa, scandalisée.

– Si, bien sûr, chez moi. » J'essayai de me rappeler la dernière fois que j'avais sauvegardé les données de mon téléphone sur mon ordinateur. Un jour où je m'ennuyais pendant les vacances de Noël ? « Mais le temps que j'arrive à la maison et que j'appelle tout le monde…

– OK les amis, j'essayais simplement de vous donner un coup de main sans trop rentrer dans vos histoires. Mais là, ça devient bizarre. » Lexa pointa son doigt en direction de l'écran. « Comment est-ce que *ce* type a récupéré ton téléphone ? Et pourquoi voudrait-il ton adresse ?

– Eh bien, Mandy n'est jamais arrivée mais lui si. Tu vois, on était dans ce vieil immeuble abandonné, et il y avait ces… chaussures.

– Chaussures. » Lexa soupira. « Pourquoi

est-il toujours question de chaussures avec vous tous ?

— Elles étaient fantastiques, dit Jen doucement.

— Fantastiques ? Précise.

— Tu peux garder un secret ? demandai-je.

— Certainement.

— Je veux dire, *vraiment* garder un secret.

— Hunter, j'ai reçu le scénario de... (elle nomma le troisième volet d'une trilogie où un certain gouverneur très musclé joue le rôle d'un robot pas sympa qui tire sur tout ce qui bouge) un **an** avant sa sortie. Et je n'ai pas laissé filer le moindre indice sur l'intrigue.

— C'est parce qu'il n'y en avait pas, dis-je. N'en parle à personne, OK ? Affiche la photo précédente. »

Elle cliqua et la photo de la chaussure apparut à l'écran. Lexa cligna des yeux, décroisa les bras et but une gorgée de café. Elle étudia l'image.

Celle-ci était irrégulière, les couleurs saturées, mais c'était bien la chaussure.

« Waouh, le client a fait *ça* ? J'aurais jamais cru qu'ils en étaient capables.

— On n'en est pas sûrs, dit Jen. C'est soit une contrefaçon, soit un nouveau concept marketing totalement radical. On ne le distingue pas bien sur la photo, mais le logo est barré.

— C'est l'anticlient », dis-je.

Lexa sourit et fit lentement un signe. Le Signe. « Cool.

— Assez cool pour kidnapper quelqu'un ? demandai-je.

— C'est clair, Hunter. » Lexa recula d'un pas et plissa les yeux, rendant l'image irrégulière encore plus floue. « Le "cool" c'est de l'argent, et l'argent n'a pas de prix. C'est là tout l'intérêt de l'argent. »

Seuls les mordus de l'informatique raisonnaient ainsi, mais cela tenait la route. Jen fit le Signe à Lexa.

Nous captâmes les données dans la mémoire du téléphone de Mandy et passâmes quelques coups de fil.

Au bureau, son poste bascula directement sur boîte vocale et nous laissâmes le message le plus évident : « Où es-tu ? » Le portable de Cassandra fit de même, j'expliquai alors que Mandy avait raté un rendez-vous et demandai à Cassandra si elle pouvait avoir la gentillesse de rappeler Lexa. Quand le répondeur de leur domicile se mit en route, je raccrochai simplement, ne voulant pas laisser de multiples messages angoissés. Avant d'avoir quelque chose de plus solide, je ne voyais pas l'intérêt d'inquiéter Cassandra au sujet de sa colocataire/copine qui manquait à l'appel.

Nous consultâmes ensuite les appels sortants de Mandy. Le dernier numéro qu'elle avait composé était celui d'un service de voitures avec chauffeur, moyen de transport qu'elle avait adopté depuis son embauche à plein temps. Les autres appels sortants aboutissaient directement au gigantesque standard du client, des numéros non identifiables qui se terminaient par trois zéros – probablement la conférence téléphonique que Mandy avait eue avec ses supérieurs au sujet de RALENTIR. Le seul autre numéro qui restait en mémoire était un appel qu'elle avait passé de chez elle la veille. Aucun indice ne révélait qu'elle avait convenu d'un rendez-vous avec quelqu'un d'autre que nous ce matin.

Mais *quelqu'un* avait bien informé Mandy à propos de l'immeuble et de son mystérieux contenu. Au moins un des innombrables cadres supérieurs de la boîte en savait plus que nous.

Je regardai le téléphone. Ayant moi-même perdu mon téléphone à tout jamais, je savais pertinemment combien d'informations étaient stockées dans ces minuscules circuits de plastique ultrafin, mais il n'existait aucun moyen d'y accéder facilement. Les machines ne divulguent pas ainsi leurs secrets.

Les êtres humains, à l'inverse, adorent se répandre. Un à un, je passai en revue les numéros du client que Mandy avait enregistrés, évitant le labyrinthe téléphonique pour atteindre directement les réceptionnistes en chair et en os. L'une d'elles finit par me mettre en relation.

« Bonjour, j'appelle de la part de Mandy Wilkins.

— Oh, vous voulez parler à M. Harper ?

— Euh, oui. Merci.

— Ne quittez pas. »

J'attendis un instant au bout du fil, écoutant la musique d'ascenseur customisée rap vanter les grands noms du sport qui avaient récemment signé chez le client. Happé par cette rengaine, mon cerveau tressaillit lorsque le cadre sup prit la parole.

« Greg Harper. Qui est à l'appareil ?

— Je m'appelle Hunter Braque. Je travaille avec Mandy Wilkins. Je devais la retrouver ce matin au coin de Lispenard et Church… pour les chaussures.

— Les chaussures, ouais. » Sa voix était lente, prudente. « Je crois qu'elle m'a dit vouloir vous mettre au courant. Vous êtes un consultant extérieur, c'est ça ?

— Exactement.

— C'est ça, je me souviens maintenant. Hunter. » Sa voix se modifia, aiguisée par le fait de m'avoir reconnu. « Tu as fait partie du groupe témoin sur RALENTIR, n'est-ce pas ? Tu es celui qui a créé tous ces problèmes ?

— Euh, ça se pourrait bien. Quoi qu'il en soit, elle n'est jamais venue au rendez-vous…

— Elle a peut-être changé d'avis.

— En fait, je suis un peu inquiet. Elle n'est jamais venue au rendez-vous mais on a trouvé son téléphone. Elle a en quelque sorte disparu, et on se demandait ce que tout ça signifiait. Les chaussures, je veux dire.

— Je n'ai aucun commentaire à faire au sujet des chaussures. Nous en fabriquons beaucoup. Nous sommes une compagnie qui fabrique avant tout des chaussures. Je ne sais même pas de quelles chaussures vous voulez parler.

— Écoutez, monsieur Harper, je les ai vues…

— Vu quoi ? C'est à Mandy de m'appeler.

— Mais je ne sais pas où elle…

— Que Mandy m'appelle. »

La communication fut coupée. Plus de musique d'attente, rien. Au cours de la conversation, Jen et Lexa avaient cessé de jouer avec la photo de la chaussure pour écouter.

« C'était quoi ce délire ? » dit Jen alors que je lâchais le téléphone.

J'avais déjà été témoin de multiples formes de désespoir d'entreprise, je connaissais le ton paniqué dû à une perte de part de marché, à un effondrement des cours de la Bourse, à des contrats mirobolants passés avec des stars du cercle universitaire qui ne valent rien en tant que pros, à la prise de conscience terrifiante de ne plus savoir ce que ces foutus mômes veulent en définitive. Mais rien d'aussi paniqué que les derniers mots de Greg Harper.

« Je crois que le client est en plein déni, dis-je. Pourtant une chose est sûre : les chaussures ne viennent pas de chez eux.

– Elles viennent d'où alors ? » demanda Lexa.

Je regardai Jen ; Jen me regarda.

Nous haussâmes les épaules.

Chapitre 10

Lorsqu'on est un traqueur de cool, on se rend compte de la chose suivante : tout a un début.

Rien n'a toujours existé. Tout a eu un Innovateur à la base.

Nous savons tous qui a inventé le téléphone ou l'ampoule électrique, mais les innovations plus modestes sont faites dans l'anonymat. Il y eut pourtant un premier avion en papier, un premier jean coupé en short, un premier collier en trombones. Et si on voyage dans le temps, un premier gratte-dos, un premier cadeau d'anniversaire, un premier trou désigné comme vide-ordures.

Une fois qu'une bonne idée se propage, il est vraiment difficile de croire qu'elle n'a pas toujours existé.

Prenez les romans policiers. Le premier a été écrit en 1841 par Edgar Allan Poe. (Gâchons le suspense : c'est le singe qui a fait le coup.)

Pendant les cent soixante-trois années qui suivirent, l'innovation de Poe contamina un nombre incalculable de livres, de films, de pièces de théâtre et de séries télévisées. Et comme tout virus rampant, le personnage du détective a subi toutes les mutations possibles : de la petite vieille qui élucide les crimes aux moines du Moyen Âge qui élucident les crimes, en passant par les chats qui élucident les crimes, même les criminels élucident les crimes.

Mon père dévorait des romans policiers (avec des épidémiologistes qui élucident des crimes, je parie) jusqu'au jour où il lut l'interview d'un véritable inspecteur de la criminelle de Los Angeles. Le type était dans la police depuis plus de quarante ans et, durant tout ce temps, pas un seul crime majeur n'avait été élucidé par un détective amateur.

Pas un seul.

Avec ça en tête, nous portâmes le téléphone de Mandy chez les flics.

« Vos liens avec la personne disparue ?

— Euh, collaborateur ? Enfin, elle me trouve des boulots.

— Et où travaillez-vous, Hunter ?

— Aucun endroit en particulier. Je suis... consultant. Consultant en chaussures. Principalement pour des chaussures. »

L'inspecteur Machal Johnson me toisa du regard.

«Consultant en chaussures? Ça paie bien?

— Je me fais payer en chaussures la plupart du temps.»

L'un des sourcils se leva lentement. «OK. Consultant en chaussures.» L'inspecteur tapait à la machine comme il parlait, endormi. J'aurais rentré plus rapidement les données dans mon téléphone (si j'en avais eu un). L'ordinateur préhistorique de Johnson semblait tout aussi lent. L'écran était d'un vert douteux – les lettres irradiaient comme des lucioles coincées dans du dentifrice à la menthe. «Alors cette Mandy Wilkins est aussi une… consultante en chaussures?

— Ouais. On peut dire ça.

— Et pourriez-vous me dire quand vous l'avez vue pour la dernière fois?

— Hier, vers cinq heures.

— Il y a moins de vingt-quatre heures?»

Jen me donna un coup de coude, l'inspecteur Johnson était sur le point d'ôter ses mains du clavier, mais je ne lui en laissai pas le temps. Cela nous avait pris une heure pour en arriver là, en passant par les officiers à l'accueil, les détecteurs de métaux et tout un éventail de réactions fort peu impressionnées.

«Elle devait nous retrouver ce matin, dis-je. Au coin de Lispenard et Church.»

Il soupira et tapa à la machine, tout en articulant le nom des rues. «Des preuves qu'il s'agit d'un acte criminel?

– Oui. Nous avons trouvé son téléphone.» Je le posai sur le bureau de l'inspecteur.

Il le fit tourner une fois dans la paume de sa main. «C'est tout? Pas de sac à main? Pas de portefeuille?

– C'est tout.

– Où?

– À l'endroit où nous étions censés la retrouver, à l'intérieur d'un immeuble abandonné.»

Il reposa le téléphone. «Vous deviez la retrouver dans un immeuble abandonné?

– Non, au coin. Mais le téléphone se trouvait à l'intérieur, à proximité. Il y a aussi une photo.

– Une photo à l'intérieur du bâtiment?

– Non, dans le téléphone. C'est aussi un appareil photo. C'est la photo affichée sur l'écran.»

L'inspecteur chaussa ses lunettes demi-lune qui le vieillirent d'un coup et scruta le téléphone. «Oh. On n'arrête pas le progrès.» Il examina le minuscule objectif proche de l'antenne du téléphone, plissa des yeux en fixant l'écran et fit le Signe version flic de New York. «Et cette photo représente quoi exactement?

– Un visage dans le noir. On a vu le type.

– Quel type?

– Le type sur la photo.

– Il y a un type sur cette photo ?

– Il faut utiliser du papier sulfurisé pour le voir.

– Il nous a pourchassés », précisa Jen.

L'inspecteur Johnson la regarda, puis ses yeux firent un va-et-vient entre nous plusieurs fois, comme un Martien observant un match de tennis dont il ne comprendrait pas les règles. « Vous avez essayé d'appeler votre amie ?

– On ne peut pas, c'est son téléphone.

– Au bureau ? Chez elle ?

– Bien sûr, on a même essayé de joindre sa colocataire. Mais on n'est tombés que sur des répondeurs.

– OK. » L'inspecteur Johnson ajusta ses lunettes sur son nez et se remit des rigueurs de la sténographie en s'installant de nouveau confortablement dans son fauteuil grinçant. « Je vois bien que vous êtes inquiets pour votre amie, mais laissez-moi vous dire une chose à propos des gens portés disparus : quatre-vingt-dix-neuf personnes sur cent n'ont pas disparu. Un imprévu, un embouteillage, ou ils ont simplement quitté la ville en oubliant de vous le dire. Avec les adultes, nous ne commençons les recherches qu'au bout de vingt-quatre heures, sauf s'il y a des raisons de croire à un acte criminel. »

Je sentais Jen gigoter sur son siège. Elle mourait d'envie de se tirer de chez les flics pour reprendre son nouveau boulot d'Innovateur qui élucide les crimes.

«Bon, vous avez bien trouvé son téléphone, que vous *certifiez* être le sien... (je hochai la tête comme un jeune chiot) mais ce n'est pas véritablement une preuve d'acte criminel. Si la disparition ne dépasse pas les vingt-quatre heures, ce n'est qu'un téléphone égaré. Au-delà, si cette personne n'est pas revenue, vous devrez demander à sa colocataire ou à un membre de sa famille ou à un adulte quel qu'il soit de me contacter. Je garde votre témoignage de côté.»

Je voyais bien au ton de sa voix qu'il était inutile d'insister. «Oh, merci.

— Voulez-vous déposer ce téléphone aux objets trouvés ou bien éviter de la paperasserie à votre amie et le garder jusqu'à son retour?» Il tendit le téléphone, nous faisant clairement comprendre à qui cela allait éviter de la paperasserie.

«Bien sûr, dit Jen avec empressement. On pourra le lui rendre. Aucun problème.»

L'inspecteur Machal Johnson acquiesça lentement et me remit solennellement le téléphone.

«Je vous assure que nous apprécions grandement votre civisme.»

Chapitre 11

Sortis de chez les flics :
« Et maintenant ?
– Il ne reste qu'une chose à faire. Marche arrière.
– Merde. »

Nous approchâmes de l'immeuble abandonné avec précaution en remontant Lispenard, tel un commando urbain progressant d'une planque à l'autre – derrière des montagnes de sacs-poubelle animés par le bourdonnement des mouches de la mi-journée, à moitié cachés par une cabine téléphonique, accroupis derrière les portes et dans les entrées d'immeubles.

On s'éclatait bien en fait.

Jusqu'à ce qu'on les repère.

Les panneaux en contreplaqué étaient grands ouverts, le cadenas se balançant au bout de sa chaîne. Un camion de location en stationnement bloquait la moitié de la rue et le monte-charge du véhicule grinçait à chaque ascension sous le poids des boîtes de chaussures empilées.

«Ils déménagent», dit Jen.

Nous étions dissimulés derrière une benne en acier laissée en rade dans la rue, brûlante sous nos doigts de la chaleur accumulée à la mi-journée. Nous échangeâmes de courtes phrases, comme par radio.

«Type chauve à la porte, dis-je.

— J'en compte deux de plus.

— *Roger*.

— Roger qui?

— Quoi?»

Des touristes de SoHo qui passaient par là nous lançaient des regards intrigués. Ils n'avaient jamais vu une planque de leur vie ou quoi?

Notre camarade chauve examinait le travail avec l'indifférence paresseuse d'un contre-maître, alors qu'une femme empilait les boîtes sur le trottoir. Elle était attifée dans le style communément appelé Futur Sarcastique : un T-shirt imprimé représentant un Martien aux yeux gigantesques, un pantalon en toile parachute avec des douzaines de poches multi-gadgets, des cheveux couleur argent qui brillaient au soleil. Il ne manquait plus que le sac à dos à réaction.

Le type qui manœuvrait le monte-charge du camion était mince, musclé, la peau très sombre. Il portait une casquette de camionneur et des bottes de cow-boy, un jean et un T-shirt en résille qui mettait ses muscles en valeur. Dans un contexte plus amical, je l'aurais catalogué body-builder gay faisant un pied de nez aux fans de courses de stock-car. Mais à côté des deux autres, il avait plutôt l'air de l'un des nombreux aspirants envoyés par l'agence centrale de casting pour faire un essai pour le rôle du méchant numéro trois dans le dernier thriller branché.

Duquel nous étions les héros improbables, me rappelai-je.

« Qu'est-ce qu'on fait ? » demandai-je, essayant d'éviter le regard d'une jeune mère curieuse qui dépassait notre position avec sa poussette double assise.

Jen extirpa son téléphone et se mit à pianoter sur le clavier. « J'enregistre le numéro d'immatriculation de ce camion.

– C'est une location.

– Et les sociétés de location gardent des fichiers.

– Ah, ouais. » Si j'avais lu plus de livres sur des consultants en chaussures qui élucident des crimes, j'aurais peut-être deviné tout seul.

« Et tu devrais être en train de prendre des photos.

– Bonne idée. Je veux dire, Roger. »

Je sortis le téléphone de Mandy et commençai à mitrailler. Entre l'objectif 5 mm et l'impossibilité de zoomer, j'étais sûr que ces photos n'allaient pas être d'une grande utilité. Mais c'était mieux que de rester planté là à me faire lorgner par des passants.

« Excusez-moi, est-ce qu'on est loin de Broadway et de la 98e Rue ? »

Accroupi, je matais les deux filles dans leurs petits hauts pailletés et leurs tongs, leurs pantacourts blancs resserrés au mollet par un lien coulissant, tellement passés de mode. Elles me firent pitié – et en plus elles allaient nous faire repérer.

« Non, c'est à environ deux pâtés de maisons vers l'est… (je fis un signe par-dessus l'épaule avec mon pouce) et environ cent dix pâtés de maisons vers le nord.

– Cent dix pâtés de maisons, ça fait loin, non ? »

Je leur indiquai où elles pouvaient prendre le métro ligne 1.

« Je vous assure que nous apprécions grandement votre civisme », dit Jen d'un ton condescendant après le départ des deux filles qui se remémoraient avec incertitude les directions que je leur avais indiquées.

« Après quelle année le pantalon blanc a-t-il été à éviter ? demandai-je.

– 1979, environ. »

Je pointai du doigt. « Ils s'en vont. »

Le camion était chargé et le type chauve refermait tant bien que mal les portes de l'immeuble. Les chaussures étaient sur le départ. J'eus l'envie de me lever et de courir après le camion, de monter à bord juste avant qu'il n'atteigne sa vitesse de croisière et de me cacher derrière les boîtes à chaussures, jusqu'à l'arrivée dans leur repaire maléfique. Puis je serais sorti subrepticement, j'aurais dérobé l'uniforme d'un des hommes de main, et après m'être fait capturer et m'être évadé plusieurs fois, j'aurais tiré des manettes qui auraient fait sauter l'endroit tout entier. Je compris alors pourquoi les crimes n'étaient jamais élucidés par des amateurs.

« On ne peut rien faire, c'est ça ?

– Nan », répondit Jen alors que le camion s'en allait.

Le rez-de-chaussée était vide.

« Ça craint », dis-je.

Nous nous étions faufilés entre les deux portes de contreplaqué que le type chauve n'avait pas pris la peine d'enchaîner correctement. Mais ça n'avait plus d'importance. Il ne restait plus la moindre boîte.

Je regardai l'heure sur le téléphone de Mandy. Il était bientôt quatorze heures, deux heures et demie à peine s'étaient écoulées depuis notre première visite.

Jen examina l'antre vide de l'immeuble, ses yeux scrutant le sol, centimètre par centimètre, mais ne trouvant absolument rien d'autre que du béton immaculé.

«On aurait dû revenir plus tôt, dit Jen doucement. Les chaussures étaient juste *là*.

— Tu as oublié le truc genre sauve-qui-peut?

— Surfait.» Jen soupira. «Il doit y avoir quelque chose qui nous a échappé tout à l'heure.»

Elle s'éloigna une fois de plus et me laissa dans le rayon de lumière près des portes, où je procédai dans ma tête à l'inventaire des raisons pour lesquelles les amateurs n'élucidaient jamais de crimes dans la vraie vie. Les détectives professionnels auraient tout de suite interdit l'accès aux lieux et délimité le périmètre de sécurité avec du ruban adhésif jaune; ils auraient relevé les empreintes, consulté les archives pour trouver les propriétaires ou autres traces de permis de travail. La vraie police aurait arrêté le grand type en noir et l'aurait poussé à parler. De vrais flics ne se seraient pas rués dans le premier café venu puis chez une amie pour procéder à une expertise au papier sulfurisé. (OK, le café pourquoi pas, sauf qu'ils auraient envoyé le bleu chercher des beignets, laissant assez d'hommes sur place pour dérouler le ruban adhésif.) Des non-amateurs sauraient vraisemblablement par où commencer pour transformer le numéro d'immatriculation d'un camion de location en adresse. C'était loin d'être mon cas.

Et, élément capital, un véritable enquêteur ne serait pas terrifié à l'idée que les méchants avaient son téléphone et cherchaient à le retrouver. La vraie police était une machine bien huilée à transformer le café en crimes élucidés. J'étais une machine à transformer le café en paquets de nerfs.

« Hunter ? » La voix de Jen s'échappa des ténèbres et me fit sursauter.

« Quoi ?

– On dirait qu'on t'a laissé un message. »

Elle émergea en clignant des yeux, une enveloppe à la main. Un carré de gros scotch gris pendait comme une guirlande de l'enveloppe blanche qui brillait dans le noir. On y lisait les lettres H-U-N-T-E-R écrites au marqueur rouge.

Ses yeux verts étaient écarquillés, les pupilles entièrement dilatées dans la pénombre. « C'était scotché sur le mur du fond. Juste là où se trouvaient les chaussures. »

Je déglutis et tendis la main. J'avais vu Mandy griffonner des notes pendant les réunions de groupes témoins, son écriture penchée, impatiente et illisible. Mais mon nom s'étalait en grand sur l'enveloppe dans une écriture maîtrisée et implacable.

«Tu ne l'ouvres pas?»

J'inspirai lentement et déchirai le papier avec précaution, incertain quant à ce qui me rendait nerveux. Une lettre piégée? Un courrier empoisonné? L'as de pique?

Il s'agissait de deux cartons d'invitation.

Je les fixai bêtement jusqu'à ce que Jen m'en soutire un et le lise à haute voix.

«"Vous êtes invité à la soirée de lancement de *Hoi Aristoi*, le magazine pour les gens aux revenus indécents." Euh, c'est ce soir.»

Je m'éclaircis la voix. «Ce n'est pas l'écriture de Mandy.

— Je m'en doutais.

— Ils connaissent mon nom.

— Bien sûr que oui. Ils ont appelé un de tes copains qui a vu ton nom s'afficher sur l'écran et qui a répondu : "Salut Hunter." Et le coup de fil suivant, ils n'ont eu qu'à dire : "Hé, je suis un ami d'Hunter" et ils ont peut-être demandé ton numéro de fixe et tout ce qui s'ensuit.»

J'acquiesçai. Petit à petit, mon identité allait être soutirée de mon téléphone. Ces Finlandais avaient tellement assuré sur le design, que le téléphone était devenu le centre de mon existence, saturé des noms et numéros de mes amis, de mes MP3 favoris, des photos de mon tiroir à chaussettes.

J'agitai les cartons devant Jen. «Alors, c'est quoi ces trucs?

— Va savoir. Tu as déjà entendu parler de *Hoi Aristoi*?»

Un vague souvenir de buzz de prélancement me revint à l'esprit. «Je crois qu'il s'agit du dernier magazine pour les branchés bourrés aux as. Un gâchis d'arbres. Il me semble qu'Hillary Winston-particule-Smith s'est occupée de leurs relations publiques.»

Jen m'en prit une des mains, la retourna et hocha la tête.

«Je suppose que c'est exactement ce que ça dit.

— Mais encore?

— Une invitation. Et nous devrions y aller.»

Chapitre 12

«Y aller?

— Il le faut, Hunter.

Je dévisageai Jen, perplexe.

«Écoute, ils connaissent déjà ton nom; s'ils essayaient, ils pourraient en apprendre davantage sur ton compte.

— Super, je me sens vachement mieux.

— Mais ces invitations montrent bien qu'ils n'en sont pas encore arrivés là. Car ce qu'ils veulent vraiment savoir, c'est jusqu'où *tu* es prêt à aller pour *les* retrouver.

— De quoi parles-tu?»

Jen m'entraîna plus loin dans l'immeuble vide et indiqua un endroit obscur que mes yeux ne parvenaient pas à distinguer.

«Ils ont laissé l'enveloppe à l'endroit même où se trouvaient les boîtes. Ils savaient que si tout ça te tenait vraiment à cœur, tu reviendrais sur les lieux à la recherche de Mandy et des chaussures. Ils t'ont donc laissé un message : "Tu veux en savoir plus ? Alors viens ce soir."

– Pour leur éviter de prendre la peine de me chercher. »

Elle acquiesça. « Très ingénieux de leur part. Car c'est aussi la meilleure façon de découvrir qui ils sont véritablement.

– Et le meilleur moyen de disparaître comme Mandy. »

Jen croisa les bras, fixant le grand mur vide devant elle. « Exact, ce qui craindrait à fond. Il faut donc les prendre par surprise.

– Et ne pas y aller du tout ? Je parie que ça, ils ne s'y attendront pas.

– Ou bien… » Jen se retourna et me toucha les cheveux, tirant sur une longue mèche qui dépassait à droite de ma frange. Elle m'effleura la joue et je sentis mon cœur battre sous ses doigts.

« Le type ne t'a aperçu que quelques secondes, dit-elle. Tu crois qu'il te reconnaîtrait s'il te voyait à nouveau ? »

J'essayais d'ignorer l'effet que Jen avait sur moi lorsqu'elle me touchait. « Oui. Ne vient-on pas juste d'apprendre que l'être humain est une machine à transformer le café en détecteur facial ?

– Ouais, mais il faisait assez sombre là-dedans.

– Il nous a aussi vus en haut à la lumière du jour.

– Mais la lumière était aveuglante sur le toit, et tu n'avais pas encore ta nouvelle coupe.

– Ma nouvelle *quoi*?

– Et l'invit précise qu'il faut être "habillé avec élégance – tenue de soirée recommandée". Je parie que tu as l'air complètement différent en smoking.

– Je parie aussi que j'ai l'air différent avec la gueule défoncée.

– Allez, Hunter. Tu ne veux pas te faire relooker?»

Les doigts de Jen descendirent vers ma mâchoire et elle me tourna lentement la tête pour observer mon profil. Son regard s'attarda sur mon visage, si intense que je pouvais presque le sentir. Je pivotai vers elle et la contemplai, et dans l'obscurité il y eut comme une étincelle entre nous.

«Plus court et blond, dit-elle sans baisser les yeux. Je suis balaise en teinture, tu sais.»

Je hochai la tête lentement pour que ses doigts frôlent ma joue. Elle retira sa main et reporta à nouveau son attention sur ma frange. Comme tout Antilogo qui se respecte, Jen se coupait et se teignait sûrement elle-même les cheveux. J'imaginai ses doigts me massant le cuir chevelu mouillé et je compris alors qu'elle avait gagné.

«Bon, dis-je, s'ils le veulent vraiment, ils finiront de toute façon par me trouver un de ces quatre.»

Jen sourit. «Autant avoir l'air classe quand ils te choperont.»

«Qu'est-ce que tu porterais normalement pour une soirée de gala?

— De gala? Tout sauf une cravate. J'ai une chemise col Mao. Ça et une veste noire, j'imagine.

— D'accord, tout à fait toi. Donc pour le non-toi, on va opter pour un nœud pap.

— Un quoi?

— Je crois qu'ils sont là-bas.»

Nous étions dans un certain grand magasin très connu souvent associé aux parades de Thanksgiving[1] et aux films de père Noël. Ce n'était pas un endroit où Jen et moi avions l'habitude de faire nos courses. Mais c'était là tout l'intérêt, si j'avais bien compris. Nous faisions du shopping pour l'anti-Hunter.

L'anti-Hunter portait des nœuds papillons. Il avait une préférence pour les chemises blanches impeccables et les gilets de soie de bon goût. L'anti-Hunter semblait ne pas savoir que dehors, c'était l'été. Je suppose qu'il devait se

---

1. Fête américaine célébrant le jour d'action de grâce, tous les quatrièmes jeudis de novembre. (*N.d.T.*)

rendre d'un endroit climatisé à l'autre dans une limousine climatisée. Il allait se fondre parfaitement dans la soirée *Hoi Aristoi*.

Et avec un peu de chance, l'anti-Hunter ferait voler en éclats toutes les preuves rassemblées grâce au téléphone du vrai Hunter. Pour traquer l'anticlient, j'allais devenir l'antimoi.

Le vrai moi jeta un coup d'œil à une étiquette au hasard. « Ces vestes valent dans les mille dollars !

— Ouais, mais on peut tout rendre lundi et se faire rembourser. Ils font tous ça pour les photos de mode. Tu as une carte de crédit, non ?

— Euh, oui, oui. » Le plan remboursement paraissait bien risqué à mon goût, mais les Innovateurs, en règle générale, n'ont pas le gène évaluation-du-risque. Jen parcourait les allées en état de transe, laissant vagabonder ses doigts sur les matières hors de prix pour s'imprégner de l'ambiance propre à cette singulière tribu new-yorkaise.

Elle s'arrêta pour faire tournoyer un présentoir de nœuds papillons monstrueusement chers et mes nerfs en vrille déclenchèrent son radar. « T'inquiète, Hunter. Il nous reste quatre heures avant que la soirée ne commence officiellement. Ce qui signifie cinq heures avant que le moindre invité ne s'y présente. On a toute la journée pour t'habiller.

– Et *toi*, Jen, tu t'habilles quand ? »

Elle hocha la tête en soupirant. « J'y ai déjà réfléchi. On sera trop faciles à repérer si on y va ensemble. Je vais probablement devoir trouver un autre déguisement.

– Attends un peu. On n'y va pas ensemble ?

– Hé, regarde ça, c'est pas trop mal. »

Elle décrocha une veste croisée en synthétique d'un noir si profond qu'il absorbait toute la lumière de la pièce et dont le tissu ressemblait à du papier souple et rugueux.

« Waouh, cool.

– Ouais, tu as raison. C'est trop toi. » Elle la remit à sa place. « On a besoin de quelque chose qui ne fasse pas passer de message. Quelque chose qui n'en fasse pas trop.

– Quoi ? Tu trouves que j'en fais trop ? »

Jen rit et se détourna des portants pour croiser mon regard. « Juste assez. »

Elle virevolta et se dirigea vers d'autres vestes, me laissant méditer ces mots. Je me retrouvai planté devant un miroir à trois faces, affligé de voir à quoi je ressemblais sous ces angles inhabituels.

Mes oreilles étaient-elles aussi décollées que ça ? Ce profil n'était sûrement pas le mien. Et quand ma chemise avait-elle décidé de sortir à moitié de mon pantalon ?

Puis je me rendis compte de ce que j'avais sur le dos. Lorsque je suis en chasse au cool, je me fonds d'habitude dans du velours côtelé, du sportswear et autres splendeurs de fonds de tiroir, devenant alors invisible. Mais ce matin-là, j'avais inconsciemment enfilé mes vrais vêtements. Le pantalon en velours basique s'était transformé en treillis noir extralarge, le T-shirt trop grand couleur chewing-gum avait été remplacé par un marcel gris clair sous une chemise noire à col classique, déboutonnée. Pas étonnant que mes parents aient remarqué quelque chose, déchiffrant plus ou moins les signes avant-coureurs ; à la suite de quoi ma mère, dans un élan prophétique inattendu, m'avait demandé si j'aimais bien Jen.

C'était peut-être évident pour tout le monde. J'en faisais peut-être un peu trop.

« Je crois qu'on est bons. » Jen apparut derrière moi, les miroirs la fractionnant en pers-pectives multiples, une pile de cintres à la main. Je les lui pris avec un étrange sentiment de régression, comme lorsque ma mère m'emmenait faire des courses, et le résultat me parut tout aussi incertain.

« Tu es sûre qu'on ne pourrait pas juste se déguiser en serveurs ou un truc dans le genre ?

— C'est ça, ouais. C'est tellement *Mission impossible*. » (Elle faisait allusion à la série télé originale et non aux films, j'autorise donc ce crédit.)

Elle tendit le bras et m'ébouriffa les cheveux, examinant mes différentes facettes dans le miroir, puis elle sourit. « Regarde-toi bien, Hunter. Car d'ici ce soir, tu ne te reconnaîtras plus. »

Chapitre 13

«Attention, ça va piquer», dit Jen.

Ça pour piquer, ça piquait ; c'est clair.

L'eau oxygénée, c'est de l'acide, le grand destructeur. En fait, chaque cheveu est protégé par une couche extérieure appelée la cuticule qui contient les pigments donnant aux cheveux leur couleur. L'objectif de l'eau oxygénée est de détruire ces cuticules afin d'éliminer tous les pigments. C'est très rapide et très salissant. Comme si l'on explosait plein d'aquariums pour en libérer les poissons, ça laisse un vrai bordel. C'est pour ça qu'après, si vous ajoutez du colorant, il y en a toujours un peu qui file dans les canalisations à chaque shampooing. Vos aquariums sont complètement détruits.

Je savais tout ça, mais seulement en théorie, parce que je m'étais toujours teint les cheveux plus foncé, pas plus clair. (Je rajoutais des poissons, je n'en éliminais pas.) Du coup, lorsque

Jen me badigeonna les cheveux d'un acide à la consistance de pâte dentifrice, je ne m'attendais vraiment pas à cette surprise.

«Ça pique!

– Je t'avais prévenu.

– Ouais, mais… *aïe*.»

J'avais l'impression que des milliers de moustiques s'étaient donné rendez-vous sur mon crâne. Comme un type chauve qui s'endort à la plage. Ma tête était en feu.

«Et là, ça va?

– Ça va… comme quand on a de l'acide sur la tête.

– Désolée, mais j'ai boosté la puissance du produit. On a opté pour un changement radical, non? Tu sais, ça fera moins mal la prochaine fois.

– La *prochaine* fois?

– Ouais. Le cuir chevelu perd beaucoup de sa sensibilité à la première décoloration.

– Génial, dis-je. Ça faisait longtemps que je cherchais à éliminer mon excédent de nerfs capillaires.

– On n'a rien sans rien.

– Je le sens passer, le rien.»

Elle me recouvrit la tête de papier aluminium – prenant soin de me prévenir : «Ça augmente la chaleur et renforce la réaction chimique» –, puis elle prit une autre chaise et s'assit en face de moi.

Nous étions dans la cuisine de Jen, qui était petite mais manifestement le lieu de travail d'une cuisinière assidue. Les poêles et les casseroles accrochées au plafond bringuebalaient lentement dans un léger bruit métallique, au souffle d'un ventilateur fatigué censé évacuer l'odeur de cheveux peroxydés. Deux mille dollars de récents achats d'accoutrement festif anti-Hunter pendaient parmi les casseroles, toujours sous housse plastique afin d'éviter que le prochain relevé de carte de crédit ne me soit fatal.

Jen vivait là avec sa sœur aînée qui tentait de percer comme chef pâtissier. De nombreuses poêles en fonte noircies révélaient des formes de macarons et de langues-de-chat, et il y avait une série d'ustensiles pour tamiser la farine jusqu'à ce qu'elle ne soit plus que poussière invisible.

La cuisine était rétro ou peut-être juste vieille. La chaise sur laquelle je me tortillais discrètement était une combinaison vintage de vinyle et de chrome assortie à la table en Formica vert et or moucheté. Le frigo datait aussi des années 1960, avec une poignée en acier inoxydable comme une gâchette géante.

Alors que l'acide fouettait doucement mon cuir chevelu, je me trouvai en mal de distraction.

«Ta sœur a cet appartement depuis long-temps?

— Il était à mes parents lorsqu'ils ont emmé-nagé ensemble à New York. On a vécu ici jusqu'à mes douze ans, mais ils l'ont gardé après le jour des Ténèbres.

— Le jour des Ténèbres?

— Le jour où on a déménagé dans le New Jersey.»

J'essayai d'imaginer une famille entière vivant là, et l'inconfort de mon cuir chevelu en état de liquéfaction fut teinté d'une sensa-tion de claustrophobie. Attenantes à la cuisine se trouvaient deux autres petites pièces avec des bouches d'aération en guise de fenêtres. C'était là tout l'appartement.

«Quatre personnes ici? Le New Jersey a dû sembler plutôt bien à côté.»

Jen fit mine de vomir. «Ah, c'est clair. Génial pour mes parents. Mais tout le monde là-bas me prenait pour une *dingue*, avec mes mèches de punkette violettes et mes fringues maison.»

Je repensai à mon propre grand déménage-ment. «Au moins, tu n'étais pas trop loin pour pouvoir rendre visite à tes amis.»

Elle soupira. «Ça aurait été du pareil au même. À quatorze ans, tous mes amis de Man-hattan m'avaient déjà zappée. Comme si je m'étais transformée en minette du New Jersey ou quelque chose dans le genre.

– Aïe. »

Je me rappelai mon coup d'œil jeté dans la chambre de Jen en arrivant. C'était de l'Innovateur classique : des meubles ramassés dans la rue, une étagère croulant sous le poids des cahiers, une douzaine de projets inachevés faits de papier et de tissu. Trois murs de la chambre étaient recouverts, l'un de coupures de magazines, l'autre d'un collage de photos trouvées dans la rue et le dernier d'un panneau d'affichage représentant un terrain de basket où étaient fixées à l'aide de X et de O aimantés des photos de joueurs masculins et féminins. Le lit aménagé formait une alcôve abritant un bureau sur lequel clignotait un ordinateur portable, en communion invisible avec une base Wi-Fi accrochée au mur. Tout le désordre acharné d'une fille cool qui tente de rattraper le temps perdu.

« Quand est-ce que tu es revenue vivre ici ?

– L'année dernière, dès que j'en ai eu le droit. Mais ce n'est pas évident de retrouver son cool quand on l'a perdu, tu sais. C'est comme quand on marche dans la rue super bien fringué, au rythme d'un groove d'enfer qu'on a dans la tête, et qu'on trébuche bêtement sur le trottoir. On est trop cool et un quart de seconde plus tard… tout le monde te regarde. Retour à la case New Jersey. » Elle secoua la tête. « Ça fait mal ?

– Comment tu le sais ?

– Peut-être les dents qui grincent.

– Ça s'arrête quand ? »

Elle soupesa d'invisibles objets avec ses mains. « Ça dépend. On peut arrêter n'importe quand. Mais chaque seconde de douleur endurée maintenant te rendra plus blond et moins style Hunter quand tu tomberas nez à nez avec les méchants ce soir.

– Souffrir maintenant ou plus tard, c'est ça ?

– Plus ou moins. » Elle tira sur la gâchette géante du frigo et en extirpa une brique de lait. Puis elle sortit un large bol des casiers métalliques placés au-dessus de sa tête et le remplit. « Voilà, c'est prêt pour quand tu n'en pourras plus.

– Du lait ?

– Ça neutralise l'effet de l'eau oxygénée. C'est comme si ta tête avait un ulcère.

– Ça me semble plutôt pertinent. » Je m'armai de courage, les yeux rivés sur la surface blanche et ondoyante du lait dans le bol. Plus c'est blond, moins c'est dangereux. Mais la route qui menait à la blondeur était longue et torride.

« Distrais-moi encore, implorai-je.

– Tu as grandi en ville ?

– Non. On est arrivés du Minnesota quand j'avais treize ans.

– L'inverse de moi. Et c'était comment pour toi ? »

Je me mordillai la lèvre. C'était un sujet que j'abordais rarement, mais il fallait bien que je parle de quelque chose. «Une révélation.

— C'est-à-dire?»

Un filet d'eau oxygénée se faufilait le long de ma nuque. Je l'essuyai.

«Allez, Hunter, tu peux y arriver. Entre en symbiose avec l'acide.

— Je *suis* en symbiose avec l'acide!»

Elle rit. «Alors parle-moi.

— OK, voilà : à l'époque où j'habitais Fort Snelling, j'étais assez populaire. J'étais bon en sport, j'avais plein d'amis et mes profs m'aimaient bien. Je me croyais cool. Mais à mon arrivée à New York, je me suis retrouvé le moins cool de l'école. Je m'habillais genre grandes surfaces, j'écoutais de la zique FM et le fait que les choses se fassent autrement ailleurs ne m'avait jamais effleuré.

— Aïe.

— Non, ça c'est aïe. Là c'était plutôt genre… être soudainement zappé.

— Pas vraiment marrant ton truc.

— Pas vraiment.» Ma voix s'enraya un peu, sûrement à cause de l'acide sur ma tête. «Mais lorsque je me suis rendu compte que je n'allais pas me faire de copains, la pression est tombée, tu vois?»

Elle soupira. «Je vois très bien.

— Du coup, c'est devenu assez intéressant.

Dans le Minnesota, on avait peut-être quatre cliques au total : les cow-boys, les sportifs, les fêlés et les mondains. Et là, je me retrouvais soudain dans un bahut avec quatre-vingt-sept tribus différentes. J'ai pris conscience de ce gigantesque réseau de communication autour de moi, un milliard de messages codés échangés tous les jours par le biais des fringues, des cheveux, des musiques, des jargons. J'ai commencé à les observer, en essayant de déchiffrer les codes. »

Je clignai des yeux et inspirai profondément. Ma tête était en train de fondre.

« Continue. »

Je tentai de hausser les épaules, ce qui répartit la douleur de manière nouvelle et intéressante. « Je les ai observés pendant un an, puis je suis allé au lycée, où j'ai pu me réinventer. »

Jen garda le silence un instant. Je n'avais pas eu l'intention d'entrer à ce point dans les détails et je me demandai si l'acide n'avait pas atteint mon cerveau, le rendant poreux.

« Ouah. » Elle me prit la main. « C'est l'horreur.

— Ouais, ça craignait.

— Mais c'est comme ça que tu en es arrivé à la chasse au cool, non ? »

Je hochai la tête, ce qui déclencha un nouveau flot d'acide dans mon dos. Je transpirais du cuir chevelu à présent, un compte-gouttes lent et incendiaire, telles ces coulées de lave vues sur une certaine chaîne du câble dédiée au monde sauvage, à l'aviation expérimentale et aux volcans. Je forçai mon esprit à rompre avec cette image.

« Je me suis mis à prendre des photos dans la rue, essayant de comprendre ce qui était cool, ce qui ne l'était pas, et pourquoi. Je suis devenu légèrement obsessionnel, ce qui se produit parfois, et je me suis mis à écrire aussi des petits commentaires. C'est alors devenu un blog. Puis, il y a environ trois ans, Mandy a découvert mon site et m'a envoyé un e-mail : "Le Client a besoin de toi."

– Oh. Tout est bien qui finit bien. »

J'essayais d'être d'accord mais, à cet instant précis, la seule fin heureuse aurait été de plonger ma tête dans un seau plein de lait. Une baignoire de lait. Une piscine de crème glacée.

« C'est pour ça que ta frange est si longue, dit Jen.

– Quoi ?

– Je me posais des questions sur ta coupe de cheveux. Ça me semblait étrange que tu sois un traqueur de cool et que tu aies ces mèches qui te cachent le visage. » Elle tendit le bras vers moi et essuya d'un geste un filet de lave qui coulait le long de mon front, juste avant qu'il n'atteigne mon œil gauche. « Mais c'est clair maintenant. Quand tu as déménagé du

Minnesota à New York, tu as complètement perdu confiance en toi. Tu as dû te cacher pendant quelque temps. C'est logique : tu caches encore certaines parties de toi. »

J'éclaircis ma voix. « Tu trouves que ma frange manque de confiance en elle ?

— Je pense que tu as peut-être peur de perdre ton cool encore une fois. »

Je sentis mon visage s'empourprer. La cuisine me paraissait bouillante, petite et bondée. Je n'arrivais pas à savoir si je devais mettre ça sur le compte de l'exaspération, de l'embarras ou bien de l'acide qui me rongeait la tête. Je voulais m'arracher le cuir chevelu et gratter le bouton de moustique géant qu'était devenu mon cerveau. L'eau oxygénée l'avait bel et bien atteint.

Jen sourit et se pencha vers moi, son visage à quelques centimètres du mien. Elle fit une moue et je crus l'espace d'une folle seconde qu'elle allait m'embrasser. Ma colère se transforma en surprise.

Mais au lieu de ça, elle souffla délicatement, un vent léger rafraîchit mon visage mouillé et un énorme frisson me parcourut.

« Ne t'inquiète pas, dit-elle doucement. Je vais tout arranger. Cette frange est foutue. »

Je ne pouvais pas rester si proche d'elle, donc je ris et m'écartai.

Elle attendit que je me tourne vers elle à

nouveau. « Je sais ce que ça fait, Hunter. J'ai aussi perdu mon cool.

– En fait, pas vraiment. Ils ne te comprenaient pas, c'est tout.

– Non, vraiment. Là-bas, quoi que j'aie pu faire, je n'ai jamais réussi à déchiffrer le code. Toutes les filles de ma classe de quatrième croient probablement toujours que je suis une paumée qui écrit de la poésie.

– Oh ! le shoot à l'ego », dis-je en essayant de sourire. Mais le souvenir de ma première année à New York n'en avait pas fini avec moi. Elle était toujours là, cette boule qui me serrait le ventre. Je me souviens qu'elle grossissait de plus en plus au fur et à mesure que j'avançais vers l'école. Et me rappeler ce terrible sentiment de solitude l'avait ravivée à nouveau, comme si elle faisait partie de moi à tout jamais.

J'inspirai et me forçai à réintégrer le présent, où j'étais cool. Où j'étais en train de cramer en fait, pourchassé par un ennemi implacable et sans mon portable en plus. Mais *cool*, pigé ?

« J'ai toujours pensé que le papier alu sur la tête empêchait qu'on lise dans tes pensés », dis-je.

Elle fit un grand sourire, mais seulement un court instant. « Il ne s'agit pas de lire dans les pensées. Comme tu l'as expliqué, il s'agit plutôt de déchiffrer les codes. Je ne déchiffre tout simplement pas les mêmes que toi.

— Tu veux dire que tu utilises tes pouvoirs pour faire le bien ?

— Au lieu d'aider de gigantesques multinationales qui vendent des chaussures ? Peut-être. » Elle se leva, lâcha un gant de toilette dans le bol de lait et le retira dégoulinant, sous mes yeux écarquillés. Elle se plaça derrière moi avec le gant. « Tu me diras des nouvelles de mes pouvoirs après *ça*. »

Je sentis le papier alu s'enlever rapidement et une masse fraîche se poser sur ma tête, transformant l'acide corrosif en quelque chose de bénin, mettant fin à mon agonie.

« Ah », grognai-je.

Il y avait encore quelques gouttes qui me coulaient dans la nuque et je ressentais toujours une pointe d'exaspération à être lu ainsi comme un livre ouvert. C'était beaucoup mieux quand j'étais celui qui déchiffrait les codes. Tout le monde déteste les vieilles photos de soi.

Mais lorsque je me vis dans le miroir de la salle de bains, le résultat me plut.

On n'a rien sans rien.

Chapitre 14

J'ouvris la porte de chez mes parents avec nervosité.

Pourquoi étais-je nerveux ? Que j'énumère les raisons. Je tenais en main pour deux mille dollars de vêtements sur cintres — un faux pas et le remboursement me passait sous le nez. Il y avait le mystérieux anticlient qui me traquait et qui avait peut-être déjà cette adresse. Et il y avait aussi ma tête qui était carrément d'une autre couleur. Chaque surface réfléchissante que j'avais croisée entre l'appartement de Jen et le mien m'avait arrêté net. Cet inconnu blond platine m'avait fixé du regard pendant tout le trajet du retour, aussi perplexe que je l'étais au sujet de cette histoire.

« Salut ? » lançai-je.

Et il y avait mes parents, bien entendu, qui allaient flipper en voyant ma coupe et ma couleur de cheveux. Non que ça les dérange — ils seraient bien capables d'aimer —, mais ils poseraient plein de questions. Et lorsqu'ils découvriraient que Jen-la-nouvelle-fille en était l'auteur…

J'eus un frisson.

«Salut?»

Pas de réponse. Aucun bruit hormis les sirènes au loin, l'eau dans les canalisations et le ronronnement ambiant du climatiseur des voisins. Je refermai la porte et décidai que j'étais probablement à l'abri. L'immeuble de l'appartement de mes parents avait plus d'un siècle. En pierres de taille, il restait frais même l'été et procurait toujours un sentiment de sécurité.

D'ailleurs, c'est la raison pour laquelle les films d'horreur se déroulent toujours en banlieue ou au fin fond de la campagne. Les résidences new-yorkaises ont des portes en bois massif blindées de métal avec de gros verrous et des barres aux fenêtres. On remarque vite s'il y a eu effraction. Vérifier sous les lits n'a pas grand intérêt.

Je regardai l'heure. J'étais censé arriver à la soirée dans deux heures. Jen s'y rendrait plus tôt, de son côté, pour préserver notre anonymat. Elle ne m'avait donné aucune information concernant son déguisement. J'avais l'impression qu'elle n'en avait encore aucune idée.

J'accrochai les vêtements dans ma chambre puis passai à la salle de bains pour me regarder une fois de plus dans le miroir, observant avec étonnement cet inconnu décoloré qui reproduisait chacun de mes mouvements.

Comme je l'ai déjà fait remarquer, la plupart des Antilogo se coupent eux-mêmes les cheveux, mais ce talent ne s'applique pas systématiquement à ceux des autres. Jen avait pourtant vraiment réussi son coup. La coupe était courte, stricte, et le cheveu presque blanc à cause de l'acide. Seuls mes sourcils toujours noirs contrastaient avec ma peau, exagérant ainsi chacune de mes expressions. Je ressemblais un peu à un gangster de film français trop branché, mais qui gardait un aplomb incontestable. Jen avait peut-être raison, je m'étais caché derrière ma frange.

Étrange. Maintenant que mon visage était entièrement à découvert, j'étais déguisé et, émerveillé par ce sentiment de dédoublement, je m'abandonnai devant le miroir à ce jeu de mime avec cet inconnu blond platine. Si je ne me reconnaissais pas moi-même, je ne voyais pas qui d'autre le pourrait.

Une douche plus tard, je m'habillai.

Dans le seul but de me faire effectivement rembourser les deux mille dollars, je décidai de laisser les étiquettes sur les vêtements. Ce qui s'avérerait une terrible erreur, mais je sentais à peine les minuscules tiges de plastique Tout m'allait à merveille, avec ce somptueux

141

savoir-faire des vêtements de luxe. Le pantalon à pinces noir était classique, la chemise de smoking était d'un blanc immaculé avec des boutons de manchettes en onyx. Des bretelles imprimées Burlington soulignaient mes épaules. Tout s'enfilait avec une grande aisance, chaque vêtement me transformant petit à petit en anti-Hunter, accroissant ma certitude que je serais méconnaissable ce soir. Sans parler de celle d'être franchement canon.

Jusqu'à ce que j'arrive au crash-test de confiance du nœud papillon. Que j'étais bien sûr parfaitement incapable de nouer.

Le petit rabat de soie noire bombé pendouillait sans vie à mon cou et ne divulguait aucun indice quant à son mode d'emploi. J'en savais long sur l'histoire de l'accessoire en question, mais rien sur le plan pratique. Les nœuds papillons ne faisaient vraiment pas partie de mon monde de pantalons et de T-shirts extralarges de marques de skate et de baskets dernier modèle. En matière de nœud pap, j'étais bel et bien du Minnesota.

Regardant l'heure, je m'aperçus que j'avais trente minutes pour renverser le cours des cinq cents dernières années de technologie de la cravate.

Et, une fois de plus, je maudis la petite période glaciaire...

La prochaine fois que vous êtes forcé de nouer une cravate à votre cou, tenez le soleil pour responsable.

Tout zombie d'entreprise ou gamin d'école privée le sait, les cravates sont en définitive de simples uniformes – la plupart d'entre nous en portent par obligation, pas par envie. Rien d'étonnant à ce que la première trace de port de cravate ait été répertoriée sur des hommes qui n'avaient pas le choix, des soldats chinois aux environs de 250 avant J.-C. Les soldats romains se mirent à porter des cravates quatre siècles plus tard. (Il n'y avait apparemment pas que les pâtes que les Italiens avaient soutirées aux Chinois.) L'histoire nous apprend que les gens qui portaient des cravates y étaient plus ou moins forcés – jusqu'à environ cinq cents ans de cela.

Puis le froid s'abattit sur la planète.

Le soleil se mit à crépiter et à produire de moins en moins de chaleur. Lentement mais sûrement, la petite période glaciaire s'immisça, avec de graves conséquences. En France, des villes furent englouties par des glaciers, une passion pour le patin à glace envahit la Hollande et tous les Vikings du Groënland succombèrent. Eh oui, les *Vikings* ne passèrent pas l'hiver. Pour être froid, c'était froid.

Et tout le monde se mit à porter des foulards, à l'intérieur comme à l'extérieur.

À un moment donné, bien sûr, un Innovateur lambda se lassa de cette mode glaciaire et se mit à jouer avec son foulard, le rendant plus mince et plus facile à manier, imaginant aussi de nouvelles manières de le nouer. L'engouement fut immédiat et occupa les gens pendant ces longs hivers, j'imagine. Les accessoires pour cou connurent un boum sans précédent. La lavallière, la cravate et le jabot furent inventés, à nouer de façons très complexes appelées la «philosophique», la «mathématique» et la «technique». Un livre du XIXᵉ siècle, *Cravatomania*, liste soixante-douze façons de nouer une cravate. Tu parles de mathématiques.

Heureusement pour vous et moi, le soleil refit son apparition et les choses se réchauffèrent et se simplifièrent.

De nos jours, certains chanceux parviennent à porter des cravates seulement pour des mariages, des funérailles ou des entretiens d'embauche. Les seuls nœuds ayant survécu sont le windsor, le demi-windsor et le nœud simple. Et il ne reste que trois types de cravate : le nœud papillon, la cravate-ficelle des cow-boys et la cravate classique. Et avec le réchauffement de la planète qui fait grimper la température en flèche, ce n'est qu'une question de temps avant que ces derniers vestiges ne soient éliminés aussi.

En attendant ce beau jour, il reste toujours le bureau des renseignements de la Bibliothèque publique de New York.

« Allô, bonjour ? J'ai besoin de savoir comment nouer un nœud papillon.

— Oui, nous avons effectivement des ouvrages sur l'étiquette et la toilette.

— En fait, je n'ai pas le temps de consulter un livre. J'ai besoin de savoir tout de suite. » Je jetai un coup d'œil à l'horloge de la cuisine. « Je dois partir dans vingt-six minutes.

— Euh, veuillez patienter s'il vous plaît. » Pendant qu'elle allait chercher un exemplaire de *Cravatomania* ou, j'espérais, de *Nœuds papillons pour les nuls,* je tirai le téléphone fixe jusqu'au miroir de la salle de bains. Le portable de Mandy aurait été plus pratique, mais je ne trouvais pas correct d'utiliser son forfait. Le câble torsadé s'étirait avec peine sur la distance, vibrant sous la force silencieuse d'un immense potentiel d'énergie. Si le combiné me glissait des mains, il serait repropulsé vers la cuisine à vitesse grand V.

Je le calai soigneusement dans le creux mon épaule, paré à l'attaque. À ne pas tenter chez soi.

« Voilà, monsieur. Post ou Vanderbilt ?

— Excusez-moi ?

145

— L'ouvrage sur l'étiquette d'Emily Post ou celui d'Amy Vanderbilt ?

— Allons pour Post.

— OK, la première chose à savoir, c'est que c'est comme de nouer ses lacets de chaussures.

— Mais autour du cou.

— Exact. Premièrement, les deux pans du nœud papillon doivent pendre de chaque côté du cou, l'un plus long que l'autre. À partir de maintenant, j'appellerai ce pan "le pan long".

— C'est fait. » Ce n'était pas si difficile.

« Maintenant, croisez le pan long sur le court, puis recroisez-le en le passant par le haut et en le glissant dans la boucle. Serrez doucement le nœud autour du cou. Ça sera beaucoup plus simple si vous vous imaginez en train de lacer votre chaussure.

— Euh… » L'impressionnante complexité des lacets soleil-levant de Jen me revint à l'esprit. Je bannis toute forme de chaussure possible de ma tête. « OK, c'est fait.

— Maintenant, pliez le pan le plus bas vers la gauche. En prenant soin que le pan qui n'est pas plié pende sur l'avant du nœud, OK ?

— Euh, oui.

— Maintenant, faites une boucle en angle avec le pan court, qui devrait croiser vers la gauche. Puis placez le pan long qui est près de votre cou par-dessus la boucle horizontale. Vous me suivez toujours ?

– Nnnoui.

– Maintenant, placez l'index droit, pointant vers le haut, sur le bas de la moitié qui pend. Tirez l'extrémité des nœuds vers l'avant et serrez-les légèrement ensemble, en formant une ouverture à l'arrière.

– Arrgh!

– Maintenant, passez derrière la boucle avant et piquez la boucle restante dans le nœud à l'arrière de la boucle avant.

– Attendez, il y a combien de boucles là?»

Elle marqua une pause, a priori pour compter. «Deux, plus une autour de votre cou. Vous devriez être prêt à resserrer le nœud en ajustant les extrémités des deux boucles.

– Je crois que…

– Emily précise : "N'oubliez pas d'exprimer votre individualité. Ça ne devrait pas être trop parfait."

– Oh, vous auriez dû me le dire plus tôt. On va probablement devoir tout recommencer.

– Mais peut-être que parfait conviendra.

– Pas ce genre de parfait.

– D'accord.» Bruissement de pages. «Premièrement, les deux pans du nœud papillon doivent pendre de chaque côté du cou, l'un plus long que l'autre. À partir de maintenant, j'appellerai ce pan le "pan long"…»

Et ainsi de suite pendant les dix-sept minutes les plus ardues de mon existence, désignées

147

à partir de ce moment-là comme «l'enfer du nœud pap». Finalement – et en majeure partie de son propre gré – le nœud fut noué, révélant un degré d'imperfection qui exagérait à peine mon individualité.

J'étais prêt à partir mais, dans mon épuisement post-nœud pap, je me rendis compte que je n'avais rien mangé depuis le petit déjeuner. Que l'anticlient me reconnaisse sous mon déguisement et me kidnappe ou pas ce soir, je n'irais pas bien loin le ventre vide.

Dans la cuisine, ma main s'arrêta à quelques centimètres de la porte du réfrigérateur. Au-dessus du frigo, le signal lumineux du répondeur de mes parents clignotait. Je m'en voulus de n'avoir pas vérifié plus tôt. Normalement, personne ne m'appelait sur le fixe, mais avec mon portable perdu dans la nature, quelqu'un aurait pu essayer le numéro familial.

Lorsque j'appuyai sur le bouton, la voix enjouée de ma mère déclama ce message qui me glaça le sang : «J'espère que tu vas entendre ce message, Hunter. Bonne nouvelle : un type m'a appelée en disant qu'il avait trouvé ton téléphone. Je ne savais pas que tu l'avais perdu. Bref, il était très gentil. Il a dit qu'il serait dans le quartier cet après-midi et va donc passer me le déposer au bureau. À ce soir.»

Bip.

Je me jetai sur le téléphone et composai le numéro de son bureau, l'un des rares que je connaissais par cœur. Son assistant répondit.

«Elle est déjà partie.

— Est-ce qu'un homme est passé, un type bizarre, pour déposer quelque chose?»

Il rit. «Relax, Hunter. Oui, il est venu. Un gars vachement sympa. Ta mère a ton téléphone et elle le ramène à la maison. Je vous jure, les jeunes, vous et vos téléphones…

— À quelle heure est-il passé?

— Euh, juste après le déjeuner.

— Et elle va bien? Elle n'est pas partie avec lui au moins?

— Bien sûr qu'elle va bien. Mais partie où? De quoi tu parles?

— Rien, c'est juste que…» Il avait dû se rendre au bureau pour voir sa tête. Puis il avait attendu qu'elle sorte pour rentrer à la maison. En chemin, il l'avait croisée par hasard, lui avait fait la conversation et l'avait coincée dans un coin sombre. Ce n'étaient pas les occasions qui manquaient, Maman rentrait toujours en métro. Ou bien ils avaient pu monter un vol à la tire bidon pour récupérer plus d'infos dans son sac à main.

«Ce n'est rien. Merci encore.» Je raccrochai.

Ils avaient peut-être déjà ma mère, comme Mandy. Et même s'ils n'avaient que son sac à main, ils avaient maintenant sûrement l'adresse, sans parler des…

J'entendis la clé tourner dans la serrure.

Chapitre 15

La porte de l'appartement s'ouvrit largement et nous échangeâmes un regard terrifié. Je m'en remis le premier, étant donné que c'était ma mère. Pas un otage avec un couteau sous la gorge, juste ma mère.

Elle, en revanche, flippa complètement. Elle me dévisagea un instant, puis baissa les yeux sur ses clés, vérifia le numéro sur la porte d'entrée, puis se tourna vers moi à nouveau.

« *Hunter…* ?

– Salut Maman. »

Le sac de courses tomba au sol et s'affaissa d'un côté sous le poids de son contenu. Elle fit quelques pas en avant et, la bouche grande ouverte, évalua mes deux mille dollars de splendeur vestimentaire.

« Mon Dieu, Hunter, c'est bien toi ? Qu'est-ce qui s'est passé ?

– J'ai décidé de changer de look. »

Elle cligna une fois des yeux au ralenti. «Merde, tu déconnes!»

Je ne pus m'empêcher de rire au langage grossier de ma mère.

Elle fit quelques pas de plus en secouant la tête et tendit le bras pour toucher mes cheveux platine.

«T'inquiète pas, Maman, c'est du solide.

— C'est plutôt pas mal. En fait, c'est *fantastique*, mais...»

Ma main se posa sur mon nœud papillon. Était-il déjà de traviole? «Mais quoi?

— Ça ne te ressemble pas... du tout.»

Sa voix se brisa sur le dernier mot et, en l'espace d'un effroyable instant, ma mère réussit à passer des grossièretés aux larmes. Ses yeux brillaient, ses lèvres tremblaient et elle renifla même.

J'étais épouvanté.

«*Maman*!

— Je suis désolée.» Elle posa une main sur mon bras, se couvrant les yeux de l'autre. Ses épaules tremblèrent.

«Qu'est-ce qui ne va pas? Qu'est-ce que j'ai...?»

Elle leva les yeux vers moi et je vis qu'elle riait maintenant, un son qui venait de loin et la secouait tout entière.

«Je suis désolée, Hunter, mais merde, tu as l'air si *différent*.»

152

Soulagé, je pris une profonde inspiration. On était revenu sur le terrain des grossièretés.

« Ouais, je vais à une fête ce soir, expliquai-je. Et c'est genre habillé, alors Jen et moi on traînait et on s'est dit que ça serait marrant de… tu sais, s'habiller classe.

— C'est Jen qui a fait ça à tes cheveux ?

— Euh, ouais.

— Eh bien… eh bien. » Elle s'éclaircit la voix, souriant maintenant simplement, même si ses yeux brillaient toujours. « Tu es magnifique. Quand est-ce que tu as appris à faire un nœud papillon ?

— Récemment. » Je regardai l'heure. « Désolé, Maman, mais il faut que j'y aille. C'est assez loin d'ici.

— Bien sûr. » Elle acquiesça, reprenant enfin ses esprits. « Mais je ne vais rien dire à ton père. J'ai hâte de voir sa tête demain matin. Oh, attends, j'ai failli oublier. » Elle fouilla dans son sac. « Ce type très sympa…

— Ouais, je suis au courant du type sympa. »

Mon téléphone apparut et je le saisis. La forme si familière me glissa dans la main, solide et glorieusement réelle. « Merci de l'avoir récupéré. Le type sympa, il ne t'a pas posé de questions étranges, des fois ?

— Euh, non. Il a juste dit qu'il l'avait trouvé à Chinatown.

— Il était chauve ? »

Elle fronça les sourcils. « Non, pourquoi ? Il aurait dû l'être ?

— Ou accompagné d'une femme aux cheveux argentés avec un gros visage de Martien sur la poitrine ?

— Hunter, comment as-tu perdu ton téléphone, exactement ? »

Je haussai les épaules et me promis de tout expliquer plus tard. « Je l'ai juste fait tomber, je pense. Merci. Je suis content que tu ailles bien.

— Bien sûr que je vais bien. » Elle sourit et recula d'un pas pour m'examiner une dernière fois. « J'ai survécu à pire qu'une simple teinture de cheveux. »

Ce n'était pas ce que j'avais voulu dire, mais je me tus et la serrai dans mes bras.

« Amuse-toi bien, Hunter, dit-elle en s'écartant. Et dis à Jen que j'aimerais vraiment, *vraiment* la rencontrer. »

Je souris. « Je lui transmettrai le message. J'aimerais aussi que tu fasses sa connaissance. »

Chose étrange, c'était vraiment le cas.

La soirée de lancement avait lieu au Muséum d'histoire naturelle.

Le Muséum est un château tentaculaire de style gothique accolé à Central Park. Le voisinage, qui regorge de petits squares et d'établissements secondaires privés dont la cotisation annuelle équivaut au prix des plus grandes universités, est le fief des *hoi aristoi*, «aristocrates» en grec. Nous, simples mortels, sommes les *hoi polloi*.

Je pris un taxi pour me rendre là-bas, un investissement plutôt dérisoire afin d'accroître les chances d'un futur remboursement de deux mille dollars. En cette fin de journée, la chaleur de l'été battait toujours le pavé des rues de New York; il faisait bien trop chaud pour se trimballer en smoking dans le métro. Et c'était trop bizarre. Maman me trouvait classe, *je* me trouvais classe, mais être cool, c'est surtout une histoire de contexte. Parmi les autres *hoi polloi*, j'aurais probablement juste l'air d'un pingouin.

Et un pingouin affamé. D'autant que l'échange bref et ambigu avec ma mère ne m'avait pas laissé le temps de manger. Avec un peu de chance, des plateaux de petits-fours aristos circuleraient pendant la soirée.

Dans le taxi, je sortis les deux téléphones de ma poche, le mien et celui de Mandy, et je les comparai pour m'assurer que le mien m'avait bel et bien été restitué. Mais qu'est-ce que tout cela voulait dire? Peut-être le type super-sympa qui l'avait rendu était-il exactement ce qu'il prétendait être et que personne n'était à mes trousses. L'inspecteur Johnson avait-il alors raison pour Mandy? Avait-elle simplement dû s'absenter pour s'occuper d'un parent malade et perdu son téléphone en chemin? Bien sûr, si c'était la vérité, toute cette course-poursuite dans l'immeuble abandonné n'était qu'un malentendu. Ou un dingue croisé par hasard? Une hallucination?

Ça ne tenait pas debout.

Et quand bien même, toutes ces théories radicales n'expliquaient pas les invitations pour la fête de lancement de *Hoi Aristoi*. L'anti-client était bien réel et il voulait me parler. Ils avaient probablement balancé mon téléphone pour qu'un passant le trouve par hasard. Ils n'en avaient plus besoin car ils savaient que je ne pouvais pas abandonner Mandy à son triste sort (ou résister à la tentation des chaussures) et que je serais présent à la fête ce soir.

En jouant avec les touches du téléphone, je décidai d'appeler Jen.

«*Vous êtes sur la messagerie de Jen. Parlez après le bip sonore.*

– C'est Hunter. J'ai récupéré mon téléphone. Un type pas chauve du tout l'a déposé au bureau de ma mère. Je ne sais pas ce que ça veut dire, mais bon. Alors, euh, on se voit plus tard. C'est ce qui est prévu, non? Euh, salut.»

Je me réinstallai au fond de la banquette du taxi. J'aurais préféré qu'elle réponde ou au moins ne pas laisser un message aussi nul. Je n'ai jamais été fan des boîtes vocales qui sont, en gros, des machines à amplifier la moindre trace de nervosité due à quelque chose ou quelqu'un. Mais je n'avais en définitive aucune raison de me sentir nerveux avec Jen. Je me rappelai toutes les fois où elle avait croisé mon regard aujourd'hui, où elle avait trouvé des raisons de me toucher et de continuer de traîner avec moi. Sans parler du relooking complet. Jen m'aimait bien.

Mais m'aimait-elle *vraiment* bien ? Je me frottai les tempes – le gros problème lorsqu'on est ébloui par quelqu'un (oui, j'étais ébloui), c'est que cela vous empêche de voir si l'éblouissement est réciproque. Ou un truc comme ça. Jen était peut-être tout simplement fascinée par la recherche de Mandy la disparue. Ou peut-être pensait-elle que ces aventures étaient mon lot quotidien ; elle allait alors être très déçue en constatant que ce n'était pas le cas. Et les filles ont-elles pour habitude de décolorer les cheveux des mecs avec lesquels elles veulent sortir ? Probablement pas, mais peut-être que Jen, si.

Une certaine conscience que mon anxiété se dirigeait sans doute dans la mauvaise direction s'ajoutait à ce remix mental. Si ce soir mon déguisement échouait, mes sentiments pour Jen seraient le cadet de mes soucis : mon ego ne serait pas la seule chose que l'anticlient exploserait.

Je repensais à tous ces films où le type hésitant dit : « Mais on se dirige droit dans la gueule du loup ! » Et le type courageux répond : « Ouais, mais c'est pour ça qu'ils ne nous attendront pas. » Ce qui est bien entendu une grosse connerie. La raison pour laquelle on monte un piège c'est pour que quelqu'un tombe dedans, non ?

Mais ils attendaient Hunter le Skater brun, pas anti-Hunter le Super Pingouin blond.

J'inspirai profondément. J'avais vraiment besoin de manger quelque chose.

À cette heure, le musée était fermé au public, mais les marches de marbre étaient toujours parsemées de touristes. Je me joignis à l'autre groupe qui, en route pour la fête, se frayait lentement un chemin parmi les grappes de paparazzi éreintés et rougis par le soleil. Nous pénétrâmes avec gratitude dans la fraîcheur climatisée du musée, les femmes en robe du soir et les hommes en smoking. Dans le hall d'entrée, un squelette de barosaurus trônait au-dessus de nos têtes, à plus de cinquante mètres du sol, défendant sa progéniture squelettique d'un T-rex dans le même état. Je me souvins m'être demandé, lorsque je venais là enfant, pourquoi tous ces dinosaures squelettiques se donnaient tant de peine pour se manger les uns les autres alors qu'il ne leur restait clairement plus que la peau sur les os.

La foule était assez grande pour s'y perdre et la horde de voix était atténuée en un simple bourdonnement grâce à l'écho du marbre. Parmi mes camarades pingouins, je me sentais bien dans mon déguisement, me fondant dans la masse en suivant les cordons de velours qui nous menaient de l'entrée principale à la salle des mammifères d'Afrique.

C'était la partie ancienne du musée, qui datait de l'époque où les conservateurs se rendaient encore à l'étranger, tuaient des bêtes et faisaient rapatrier les cadavres pour les faire empailler. Ce qui est une *forme* de conservation, je suppose. Au centre de la gigantesque salle, une famille d'éléphants marchait d'un pas lourd et indécis. Encastrés dans les murs qui nous entouraient se trouvaient des dioramas — des zèbres, des gorilles et des impalas sur fond de paysages d'Afrique, qui nous fixaient d'un œil de verre hagard, paralysés de stupeur, comme si personne ne leur avait dit que la tenue de soirée était de rigueur.

La foule se mouvait en cercle lent, dans le sens des aiguilles d'une montre, autour des éléphants. Fidèle au style de Manhattan, la soirée venait à peine de passer à la vitesse supérieure avec deux heures de retard, les invités attrapant leur premier verre. La lente ronde me donna la possibilité d'évaluer la situation et de rechercher une Jen déguisée ainsi qu'un éventuel anticlient.

J'étais nerveux. Les petites tiges de plastique des étiquettes commençaient à me gêner et je me laissais encore surprendre par le reflet de cet inconnu blond décoloré dans les vitres qui me séparaient de la savane africaine. Mon regard suivait à la trace chaque fille de la taille de Jen mais, sauf si elle avait eu recours à la chirurgie esthétique, elle n'était aucune d'entre elles. Je tressaillais à chaque tête chauve que j'apercevais du coin de l'œil et je m'attendais presque à sentir une main puissante se poser sur mon épaule pour m'emmener dans un coin sombre du musée. J'avançais ainsi dans la fête, tendu et en alerte, comme si les deux lions endormis dans l'un des dioramas étaient toujours vivants.

Pour me calmer, je fis la chose qui vient le plus naturellement à un traqueur de cool : je déchiffrai la foule.

La démographie de *Hoi Aristoi* était jeune et riche, de cette race dont le métier est de se rendre à ce type de soirées. Vous les connaissez. Leurs noms paraissent en gras dans la rubrique des potins, probablement pour leur remémorer ce qu'ils ont fait la semaine passée. Ils étaient là pour perfectionner leurs aptitudes mondaines, se préparant pour le grand jour où leurs rentes se transformeraient en héritages bien réels. Ils feraient alors partie des comités de musées, d'opéras et de compagnies de ballet et se rendraient à toujours plus de soirées. De temps à autre, le flash d'un appareil photo se déclenchait afin de nourrir les rubriques du *Sunday Styles* et les dernières pages des magazines people. Apparemment, *Hoi Aristoi* était vraiment de souche aristocratique. Un magazine capable d'occuper la totalité du Muséum d'histoire naturelle pour une simple soirée devait être soutenu par des gens aux solides relations.

Je me demandai s'il y avait parmi eux une seule personne qui lirait réellement *Hoi Aristoi*. Allaient-ils publier une rubrique courrier du cœur pour héritiers célibataires ? Des essais sur l'entretien des manteaux de vison ? Des affaires en or pour les cuisines de minettes anorexiques ?

Non que les articles aient grande importance. Les magazines sont de simples emballages pour la pub, et les annonceurs avaient dû faire la queue pour paraître dans les pages de *Hoi Aristoi*, prêts à vendre impunément de l'immobilier dans les Hamptons[1], des réductions sur des séjours en centre de désintoxi-

---

1. Station balnéaire où les New-Yorkais aisés ont une résidence secondaire. *(N.d.T.)*

cation et des liposuccions au rabais, autant de marques que je ne citerai pas. Et pour chaque véritable lecteur aristocrate viendraient une centaine d'aspirants, de pitoyables créatures prêtes à acheter le sac à main ou la montre annoncée en espérant que le style de vie de la haute suivrait alors.

Pourquoi cette tribu m'énervait-elle tant ? Je ne suis pourtant pas hostile à la hiérarchie sociale – mon boulot en dépend. C'est le fondement même du cool que d'être constitué en hiérarchie, des stars de basket aux DJ de Detroit, tous organisés entre aristocrates et *hoi polloi*, initiés et exclus. Mais cette bande-là était différente. Devenir un *aristoi* n'était pas une question de goût, d'innovation ou de style, mais de voir le jour dans l'une des cent familles les plus sélectes de Manhattan. Ce qui explique pourquoi les aristocrates n'ont pas d'Innovateurs. Pour élaborer leurs nouveaux looks, ils comptent sur les créateurs de Paris et de Milan, ils embauchent des conseillers via des Initiateurs tels qu'Hillary de la Particule. Le sommet de la pyramide du cool des *hoi aristoi* – où l'on devrait trouver les Innovateurs – a été décapité, comme celle au dos du billet d'un dollar. (Une coïncidence ? Ça se discute.)

Soudain, je vacillai et ma mauvaise humeur s'envola. À quelques pas de là, deux top-modèles-de-location étaient postées devant un trio de bisons hallucinés. Elles distribuaient des pochettes-cadeaux.

Du gars pourri de fric à l'anarchiste invétéré, *tout le monde* aime les pochettes-cadeaux.

J'en saisis une, me convainquant que c'était uniquement pour chercher des indices sur les sponsors de la soirée. Les soirées new-yorkaises sont toujours des orgies multi-industrielles, un mix de pub, de listes VIP et de dons. La pochette-cadeau est le dernier maillon de tout ce marketing hybride, là où tous les gens impliqués déversent produits de beauté, magazines, places de cinéma, CD singles, chocolats et mignonnettes de boissons alcoolisées à profusion. Les principaux annonceurs (je les cite volontiers car leurs produits ne sont pas vendus en magasin, pour des raisons que vous serez bientôt à même de comprendre) étaient le magazine *Hoi Aristoi* lui-même, un rhum épicé appelé Noble Sauvage et un nouveau shampooing au nom fort étrange de Dup. Le gros lot de la pochette était un appareil photo digital pas plus grand qu'un briquet à l'ancienne, avec le logo Dup placardé dessus.

Un appareil photo digital gratuit comme support publicitaire. Le Signe était de rigueur.

Mais l'homme ne se satisfait pas uniquement de pochettes-cadeaux. J'engloutis les chocolats et parcourus la salle du regard pour trouver de la vraie nourriture.

Un plateau de verres de champagne et de jus d'orange passa devant moi. J'attrapai du jus d'orange et le bus d'une traite, pour finalement découvrir qu'ils y avaient rajouté du Noble Sauvage… *beaucoup* de Noble Sauvage. Je réussis à ne pas tout recracher, l'avalai pour le sucre et le regrettai aussitôt. Le titillement de l'ivresse sur ventre vide monta à mon cerveau.

Autour de moi, les contours de la soirée s'adoucirent et je commençai à remarquer les imperfections des nœuds papillons de mes camarades pingouins. Toute cette individualité qui s'exprimait, selon Emily Post. Ou avais-je opté pour Vanderbilt ? Je ne m'en souvenais plus, ce qui était mauvais signe.

Peut-être mon anxiété n'avait-elle rien à voir avec la disparition de Mandy, les dangers potentiels de l'anticlient, la prétention des *hoi aristoi* ou même le mystère des sentiments de Jen à mon égard. Ce n'était même pas le ventre vide. C'était bien plus simple que ça.

J'étais seul à une fête.

Personne n'aime être laissé pour compte. Comme le petit troupeau d'impalas empaillés qui me regardaient sans me voir à l'autre bout de la pièce, j'étais un animal social. Planté là dans mon smoking, une pochette-cadeau dans une main et un verre de jus d'orange vide dans l'autre, je me sentais seul dans une foule de gens que je ne connaissais pas et qu'instinctivement je n'aimais pas.

Où était Jen ? Je pensai à l'appeler mais je n'avais encore rien à signaler. Pour l'instant, cela ressemblait à n'importe quelle soirée de lancement.

À ce stade, je me serais même contenté d'apercevoir le type chauve, Stock-car Man ou même Space Girl. J'aurais préféré me cacher ou fuir plutôt que rester tout seul planté là. N'importe quelle excuse pour me donner un but.

Un autre plateau passa devant moi, transportant quelque chose qui ressemblait à de la nourriture et je lui emboîtai le pas.

Le plateau me fit longer un petit couloir qui menait à l'aile spatiale du musée. Le planétarium se dressa devant moi, un gigantesque globe blanc posé sur des pieds incurvés, aussi imposant qu'un vaisseau extraterrestre. Pourtant, comme cela arrive si souvent dans les musées, je ne pensais qu'à manger. Je poursuivis laborieusement le plateau, ne parvenant à la hauteur du serveur vêtu de blanc qu'au moment où il était assailli par une petite horde affamée.

Le plateau était garni de sushis expérimentaux raplapla, de minuscules tours d'œufs de saumon aux tentacules multicolores, quelque chose qu'un pingouin non métaphorique aurait pu manger. Ce n'était pas exactement le gibier que j'escomptais, mais j'attrapai une paire de ce qui semblait être de simples boules de riz et j'en fourrai une dans ma bouche. Il y eut une explosion de substance salée au goût poissonneux : un sushi piégé. J'avalai malgré tout la bouchée et enfournai la seconde.

J'avais la bouche si pleine que je ne pus crier lorsqu'un certain type chauve se posta à côté de moi.

Chapitre 16

« Mrrf », dis-je, alarmé.

Il marmonna quelque chose d'incohérent et son regard me dépassa.

J'avalai la boule de riz d'un coup en m'étouffant.

Il continuait de marmonner et je me rendis progressivement compte qu'il ne me parlait pas. Il portait un casque miniature noir avec micro et avait le regard lointain des sans-abri et des sans-fil. Il était équipé d'un kit mains libres et ses yeux ne s'arrêtèrent *même pas* à ma hauteur.

Avec mes cheveux blonds et ma tenue de pingouin, j'étais invisible.

Je me détournai et reculai de quelques pas ; le paquet de nerfs qui avait envahi mon estomac à moitié vide se dénoua lentement, il ne menaçait plus de renvoyer le sushi que j'avais gobé. Je poursuivis ma route vers le planétarium, prenant soin de marcher à pas réguliers, jusqu'à ce qu'une représentation suspendue de Saturne de la taille d'un ballon de plage se présente devant moi.

Je me cachai derrière la planète et comptai jusqu'à dix, prêt à voir surgir le crâne chauve traînant derrière lui cinq autres gorilles armés d'oreillettes et de sourires carnassiers.

Mais il ne vint pas, et j'osai un coup d'œil.

Il se tenait au même endroit et parlait toujours dans son oreillette. Il était en non-pingouin, tout de noir vêtu, comme un membre du personnel de sécurité, et il scrutait la foule, à la recherche de quelque chose.

À ma recherche.

Je souris. Le déguisement de Jen avait marché. Il n'avait pas fait le lien entre le nouveau anti-Hunter et le petit skater qu'il avait vu ce matin.

Tout de même, lui passer sous le nez me semblait un peu risqué. Je regardai au loin pour trouver un autre coin de la fête à explorer. Devant moi, le planétarium accueillait un flot ininterrompu de fêtards dans ses entrailles. Un panneau annonçait la projection en boucle de la nouvelle pub télé pour Dup. Il ferait sombre à l'intérieur, et je pourrais reprendre mes esprits dans un environnement genre groupe témoin familier. Visionner les pubs, c'était vraiment mon truc.

J'inspirai profondément et sortis de ma

cachette, marchant vers le planétarium d'un pas résolu. En chemin, je subtilisai une coupe de champagne et réajustai mes boutons de manchettes ; je me sentis très agent secret.

Dup s'avéra assez trippant comme shampooing.

Les lumières se tamisèrent dans le planétarium. Les fauteuils s'inclinèrent et mon corps sombra dans le grondement ambiant d'une sono de musée top classe. Les étoiles scintillèrent au-dessus de nos têtes, claires comme en une froide nuit de haute montagne.

Puis un rectangle de lumière apparut et un écran de télé géant se dessina dans le firmament.

La pub démarra sans surprise pour une pub de shampooing – un mannequin sous la douche, la mousse qui lui recouvre la tête. Puis elle s'habille, ses cheveux secs rebondissant au ralenti avec les plus beaux reflets que peuvent produire les effets spéciaux. (Quelque part, des genres de sous-Lexa avaient tenu le rôle de machines à transformer le café en reflets.)

Puis le rendez-vous galant du mannequin fait son entrée. Ses cheveux Dup l'éblouissent et il toussote : « Elle était donne ta bouche ? »

Elle lui adresse un sourire vide et un mouvement de cheveux.

Ensuite, ils arrivent au théâtre et l'ouvreur,

rendu muet par la splendide chevelure, babille :
« Soulez-vous bien me vivre ? »

Notre héroïne lui adresse un sourire vide et
un mouvement de cheveux.

Puis, au restaurant, le petit ami toujours
sous le charme commande : « Un fot-au-peu et
la joupe du sour. »

Et devinez quoi ? Vourire side et chouvement
de meveux.

La pub s'achève avec un gros plan sur la
bouteille et une voix off : « Dup, ça chourrit vos
neveux ! »

Le noir complet se fit dans le planétarium
et les gloussements et réactions perplexes du
public face à Dup résonnèrent encore quelques
minutes. Puis une sorte de logiciel délirant
s'empara du projecteur. La totalité de l'écran
se mit à clignoter rapidement dans un va-et-
vient de bleu foncé et de rouge aveuglant qui
enfonça une curieuse aiguille au fin fond de
mon cerveau.

Les flashes cessèrent aussi brusquement
qu'ils avaient commencé et les étoiles réap-
parurent, la lumière revint et les gens applau-
dirent.

Je sortis du planétarium en trébuchant et
clignant des yeux, j'avais complètement oublié
le type chauve, l'anticlient, tout. Les flashes de
l'écran m'avaient vraiment fait quelque chose.

La coupe de champagne que j'avais à la main

était vide, je pris donc un autre jus d'orange sur un plateau. Des pensées inachevées me traversaient l'esprit, comme si quelqu'un avait appuyé sur la touche *redémarrer* de mon cerveau.

Ce jus d'orange se révéla encore plus fort que le précédent, mais j'avais besoin de tenir du concret en main. Je continuai donc de boire, essayant d'éliminer l'étrange sentiment laissé par l'expérience Dup.

Quelque chose me tenaillait et m'empêchait de me calmer. Comme grand nombre d'entre nous, j'ai regardé beaucoup la télé, vu *beaucoup* de publicités. J'ai même été payé pour en faire les critiques. Mais quelque chose clochait vraiment dans cette pub Dup. Pas seulement l'écran qui clignotait à la fin, mais un affront bien plus grand à ma sensibilité.

Ça n'avait pas eu l'air *réel*.

C'est comme lorsqu'on regarde un film et que l'un des personnages regarde à la télévision un jeu qui n'existe pas vraiment, avec un faux présentateur inventé pour les besoins du film. Ça n'a jamais l'air *vrai*. Et ça ne marche pas parce que vous et moi et bon nombre d'Américains sommes en partie des machines à transformer le café en supercapacités télévisuelles. Et nous sommes vraiment, vraiment forts pour ça.

À peine deux secondes après avoir allumé la télé, nous savons si l'émission date des années 1980 ou de l'année dernière, si c'est une série policière, une sitcom ou un téléfilm, une chaîne du câble, une chaîne publique ou la chaîne de la pêche à la mouche, tout ça grâce à de subtils indices d'éclairage, d'angles de caméra et à la qualité de l'image. Instantanément.

Rien ne nous échappe.

«Pud n'est ras péel», dis-je à haute voix.

La porte des toilettes pour hommes accrocha mon regard et je m'y engouffrai. Je posai le verre vide sur le lavabo, fouillai dans ma pochette-cadeau et trouvai l'échantillon gratuit de Dup.

J'en versai un peu sur mon doigt. Le shampooing était violet vif mais, à part ça, sentait et ressemblait complètement à du shampooing. Je fis couler l'eau et le fis mousser. Cela moussa de manière très shampooing.

Dans le miroir, un inconnu blond décoloré au regard fou, qui avait clairement perdu la tête, me dévisagea.

Je fronçai les sourcils. Les événements du jour m'avaient peut-être rendu paranoïaque. Ou bien l'eau oxygénée de Jen avait vraiment infiltré mon cerveau ? Car apparemment, Dup était bien réel. Ils avaient juste fait une campagne de pub barjot. Je soupirai et me lavai les mains.

Je me lavai les mains pendant cinq bonnes minutes.

Mais elles restaient violettes.

Dup était bidon. C'était une sorte de méchante teinture. Toute la soirée n'était qu'un énorme complot pour transformer les gens riches en gens riches *et* violets.

« Ça n'a pas de sens », dis-je en m'adressant à l'étranger peroxydé tout en séchant mes mains toujours aussi violettes. J'étais parvenu à le dire correctement, les néons me ramenaient donc a priori à la réalité. Mais mes mains tremblaient de faim et je sentais le rhum et le champagne menacer de me faire tourner la tête.

Il me fallait de la nourriture.

J'abandonnai la pochette-cadeau au cas où d'autres pièges y seraient planqués, ne gardant que le magazine et l'appareil photo digital. L'appareil était couvert du logo Dup, donc le candidat le plus menaçant du lot, mais il était si petit et si *mignon*. Je veux dire, c'est bon. Un appareil digital gratos !

Mes nouvelles mains violettes n'aidaïent pas mon déguisement de pingouin, je les fourrai donc dans mes poches, essayant d'avoir l'air décontracté, pas comme un homme teint deux fois dans la même journée. J'étais bien content de ne pas avoir mis de Dup sur mes nouveaux cheveux.

Je sortis mon téléphone et appelai Jen, tombant à nouveau sur la messagerie. Pour la centième fois, je me demandai où elle était. Je voulais à tout prix lui raconter le type chauve, le faux shampooing et sa fausse pub, et voir si elle n'avait rien découvert de son côté.

Et surtout je voulais lui demander : pourquoi l'anticlient tenait-il à teindre les gens en violet ?

Un plateau de minuscules sandwichs au saumon me passa sous le nez. Je le suivis jusqu'à la salle des mammifères d'Afrique, me demandant comment en attraper un sans me faire remarquer avec mes mains violettes.

L'homme chauve était là où je l'avais laissé, entre deux salles, papotant toujours dans son casque. Je me redressai, faisant confiance une fois de plus à mon déguisement pour passer inaperçu.

Mais un couloir étroit freina le serveur et la horde s'abattit sur les sandwichs. Ils filaient. Je serrai les dents, à moitié ivre et franchement affamé, et je tentai le coup. Il me fallait *absolument* de la nourriture.

Je tendis le bras, saisis un sandwich et en enfournai la moitié dans ma bouche. Comme les boules de riz, ils étaient trop salés, mais je tins bon et continuai de manger, tournant le dos au type chauve.

Personne ne fit attention à moi. Le dos de mes mains n'était pas aussi violet que les paumes. Je décidai de prendre le risque d'un dernier sandwich.

Je jetai des coups d'œil aux grappes de

mangeurs de saumon et remarquai qu'ils avaient tous un verre à la main. Les mots se déformaient et j'entendis une femme sombrer dans la Duperie :

« Cette tête est fop. » Son groupe se plia de rire.

Les gens étaient de plus en plus ivres, bien sûr. La nourriture salée les poussait à s'abreuver. Le Noble Sauvage était partout, les appareils photo gratuits sortaient à présent des pochettes, les rires et les flashes crépitaient de toutes parts.

Entre deux bouchées voraces, je remarquai que les appareils Dup faisaient aussi le truc du va-et-vient, clignotant en accéléré juste avant le vrai flash pour rétrécir les pupilles et éviter l'œil rouge diabolique. Mais les petits éclairs scintillants étaient encore plus déroutants que d'habitude. Ils alternaient, rouges et bleus, comme les clignotements de l'écran qui avaient secoué mon cerveau à la fin de la pub Dup. Ma tête se mit à vibrer à nouveau.

La fête tout entière n'était-elle qu'un piège ?

Non, je devais m'imaginer des choses. Encore un sandwich et tout irait bien.

Alors que je tendais le bras, une odeur familière me vint aux narines.

« Maman ? » dis-je doucement. C'était l'une des fragrances qu'elle avait créées.

Je me retournai, un sandwich dans ma main

violette, et me retrouvai nez à nez avec Hillary Winston-particule-Smith.

Elle cligna des yeux, allant de ma main violette à mon visage soudain devenu pâle, me reconnaissant lentement mais sûrement.

« Hunter ? murmura-t-elle.

— Vous ne vous adressez pas au ton bype », dis-je.

Chapitre 17

«C'est bien *toi*!» hurla Hillary. Son groupe de copains se tourna vers moi, s'attendant certainement à découvrir une pseudo-star ou un cousin éloigné du clan Winston-particule-Smith.

«Euh, salut Hillary», dis-je doucement en pensant : *Pas le nom! Pas le nom!*

«Mon Dieu, *Hunter*! Tu as l'air si différent!»

Le type chauve me faisait face, à quelques mètres seulement, et voilà qu'Hillary criait mon nom.

«Oh, pas si différent que ça.» *Ne parle pas des cheveux!*

«Ouais, c'est ça. Et tes *cheveux* alors, Hunter?»

Je pouvais sentir le regard du type chauve sur moi, tandis qu'il jaugeait la taille et la carrure, y ajoutant le prénom répété plusieurs fois (actuellement trente-deuxième sur la liste des favoris) et finalement les cheveux...

«Tu devrais t'habiller classe plus souvent», continuait Hillary, son expression ajoutant une pensée terrifiante à toutes celles qui me traversaient l'esprit : la possibilité qu'Hillary de la Particule s'aperçoive que ce petit skater niais d'Hunter devenait supermignon.

Puis elle fronça les sourcils. «Et c'est fait exprès, les mains violettes? C'est genre rétro-punk ou quoi?»

Il arrive parfois que la seule chose que l'on trouve à dire soit :

«Faut que j'y aille.»

J'ignorai sa mine surprise et m'éclipsai, alors qu'une sorte de pilote automatique anti-faim logé dans mon cerveau me faisait engloutir les restes du sandwich au saumon. Je n'eus pas besoin de me retourner en entrant dans la salle des mammifères d'Afrique, les yeux de verre des bêtes mortes me traquaient, j'étais l'homme à abattre.

En ce qui me concerne, cela ne faisait aucun doute : le type chauve me suivait.

Mon téléphone sonna. Toujours en pilote automatique, je répondis.

«Ouais?»

Une voix grave me fit froid dans le dos : «Salut Hunter. Bien, les cheveux.»

Me frayant un chemin dans l'assemblée qui tournait toujours autour des éléphants, je jetai un coup d'œil par-dessus mon épaule. Il n'était pas loin, fendant la foule d'un pas lent et puissant.

« Nous voulons te parler.

– Euh, rappelez demain ?

– En personne. Ce soir. »

Je décidai de passer à l'attaque, même si pour cela je me réfugiai derrière une ribambelle de pingouins qui comparaient leurs nœuds papillons. « Où est Mandy ?

– Elle est avec nous maintenant, Hunter. » Il marqua une pause. « Attends une minute, je ne voulais pas te paraître sinistre en disant ça.

– Eh bien, trop tard. »

Je poursuivis ma route, bousculai une femme devant moi et lui fis un signe de main violette en guise d'excuse lorsqu'elle me mitrailla du regard.

« Désolé, dis-je en m'éloignant.

– Désolé de quoi ? entonna la voix du type chauve.

– Pas *vous*. » Je parcourus la salle du regard, tâchant de le retrouver.

Il avait disparu.

Mes yeux fusillaient les gazelles, les lions et les gorilles, essayant de repérer à nouveau le type, mais sa carrure massive et son crâne chauve s'étaient complètement évanouis dans la nature.

« Hunter, il ne s'agit pas de Mandy ; il s'agit des chaussures. »

Je fis un pas en arrière, cherchant à avoir une vue globale. Le type ne pouvait rien me faire au beau milieu de la fête, mais je ne voulais pas qu'il se rapproche trop. Habillé comme un gars de la sécurité, il pouvait malgré tout m'embarquer, feignant de virer un invité indiscipliné.

«Quoi, les chaussures? dis-je.

— On essaie de conclure une affaire. Mais il faut que ça reste secret.»

Toujours aucun signe de lui dans la foule de pingouins. Le dos collé contre la vitre glacée d'un diorama, je me sentis pris au piège.

«Vous voulez donc me faire taire? Ça me semble assez sinistre, ça aussi.

— Ce n'est pas ce que tu crois, Hunter. Nous voulions que tu viennes ici pour te montrer ce que nous essayons de faire. Cela va au-delà de simples chaussures.

— Je le vois bien.»

Un bip me déchira le tympan, exigeant mon attention. Je jetai un coup d'œil à l'écran du téléphone.

Jen.

«Euh, ne quittez pas, j'ai un double appel.

— Hunter, ne…»

Je pris l'autre ligne. «Jen! Je suis tellement content…

— Tourne à gauche, avance.

— T'es où?

— Vite ! Il te rattrape. »

Je filai. Après une porte, je longeai un couloir où étaient alignées des photos de l'Antarctique. Puis je me retrouvai dans une salle remplie de huttes et de costumes, d'armes et d'outils.

« J'ai l'impression d'être en Afrique.

— Traverse la salle et descends les escaliers sur ta droite. »

Pouvait-elle me voir ? Ce n'était pas le moment de le lui demander.

J'arrivai à l'un des cordons de velours rouge qui délimitaient l'espace de la fête. Je jetai un coup d'œil derrière moi.

« Jen ? » lançai-je.

Sauf si elle était déguisée en chaman yoruba inerte, elle n'était pas dans cette pièce. Mais le type chauve était toujours en vue, me suivant à pas comptés, avec cette expression d'exaspération propre aux figures d'autorité que l'on ignore.

« Continue, dit Jen dans le téléphone. Je suis devant un plan du musée. Cours. »

Je plongeai sous le cordon de velours et tournai à droite, traversai en trombe une salle sombre pleine d'oiseaux empaillés en vitrine. Un grand escalier de marbre apparut sur ma droite.

Je ne pris même pas la peine de regarder par-dessus mon épaule, sachant que le type chauve était toujours à mes trousses, et me précipitai dans l'escalier mal éclairé. Mes chaussures à semelle de cuir faisaient résonner l'écho de mes pas sur le marbre, claquant de tous côtés comme de tristes applaudissements.

À ce stade, j'aurais tué pour une paire de baskets. Ou bien des vêtements sans étiquettes qui grattent.

En bas des escaliers, je chuchotai : « Par où maintenant ?

– Prends encore à droite. À travers les squelettes de singes. »

Je pénétrai dans une grande galerie qui retraçait entièrement l'évolution de l'homme – du primate paresseusement accroché aux arbres à l'*Homo telecommandus* paresseusement cloué à son poste de télé dans son salon –, le tout en à peine trente secondes. Dans l'ombre des vitrines obscurcies, je me sentis soudain très seul (hormis les autres singes) et commençai à me demander pourquoi j'avais quitté la relative sécurité de la fête.

« Tu ne vois toujours pas de météorites ? demanda Jen.

– Des météorites ? Quitte pas. »

L'arcade suivante s'ouvrait sur une grande pièce carrée remplie d'éclats de roche sur piédestal.

« Si, chuchotai-je. Mais *pourquoi* suis-je en train de regarder des météorites ?

– Je fais en sorte qu'il te perde de vue pour qu'on puisse partir sans être suivis.

– Mais j'étais en sécurité ! Ils n'allaient rien faire tant que la fête battait son plein.

– Les fêtes ne durent qu'un temps, Hunter. »

Je me retournai, scrutai l'obscurité et crus entendre un pas lent et décidé descendre l'escalier de marbre.

« Jen, tu es où, là, de toute façon ?

– Deux étages plus haut, dans une galerie qui surplombe les éléphants. Tu te caches, n'est-ce pas ? »

Je jetai un œil en direction des singes mais ne vis toujours personne. Il n'y avait eu aucun signe de vie depuis ma descente des marches.

Mais se cacher était tout de même préférable.

Presque au centre de la pièce se trouvait une météorite de la taille d'une voiture. Assez grande pour que je m'accroupisse derrière. Je sortis juste la tête, préparant mon œil à une approche venant de la salle aux squelettes de singes.

« OK, je suis à couvert.

– Tu crois qu'il t'a suivi ?

– Absolument, chuchotai-je. Mais il n'a pas l'air très pressé de me trouver. Il appelle peut-être des renforts.

– Parfait. Reste caché. J'ai plusieurs choses à vérifier ici, maintenant qu'ils sont partis.

« – Euh, attends un peu, Jen. Tu m'utilises pour faire *diversion* ?

– Tu peux le semer, non ?

– Tu as vraiment un truc avec la cavale, toi.

– Écoute, appelle-moi en cas de nécessité, Hunter. Si tu te lasses des météorites, il y a des pierres précieuses supercool à côté. J'adore cet endroit.

– J'en suis ravi.

– Mais tu devrais rester là où tu es. La salle des pierres précieuses est sans issue.

– Tu veux dire que le seul moyen de sortir, c'est de revenir sur mes pas ?

– Ouais. Donc reste planqué. À tout à l'heure. »

Je demeurai caché, tapi derrière le gros bloc d'acier intergalactique. Comme toujours quand j'étais anxieux, je m'encombrai la tête d'informations sans intérêt, détournant brièvement mon attention de l'apathique porte d'entrée pour lire les petites plaques autour de moi.

Il s'avérait que la grosse météorite avait été ramenée à New York par Robert Peary[1], le type du pôle Nord. Elle pesait le modeste poids de trente-quatre tonnes, ce qui avait rendu son déplacement par bateau plutôt excitant. Placée

---

1. Premier homme à avoir atteint le pôle Nord en 1909. (*N.d.T.*)

à la proue du vaisseau de Peary, la masse métallique avait en partie fait sombrer l'embarcation et avait surtout dévié l'aiguille de la boussole, tant et si bien que le capitaine n'avait jamais su quelle était la direction à suivre.

Je comprenais parfaitement ce qu'il avait pu ressentir.

J'imaginais le type chauve dégainant une boussole qui le mènerait jusqu'à moi.

Mais, étrangement, m'accroupir dans l'obscurité me calma les nerfs, réparant les quelques circuits endommagés par l'expérience Dup du planétarium. Après quelques minutes d'attente et de réflexion, je me souvins d'une vieille légende urbaine à propos d'une série télévisée japonaise pour enfants. L'un des épisodes avait déclenché des convulsions chez certains spectateurs, dues aux effets d'étranges clignotements.

Cette histoire était-elle vraie ? Même si ce que les clignotements lumineux avaient cette fois déclenché était plus subtil qu'une crise d'épilepsie, ils avaient toutefois le pouvoir d'embrouiller et d'abrutir complètement.

Mais pourquoi ?

Je n'étais certain que d'une chose : Dup était un pseudo-produit. Comme les chaussures de contrefaçon, il avait été créé pour semer le trouble dans l'ordre des choses, pour détraquer le lien sacré entre la marque et le client. Je contemplai la paume de mes mains et me demandai si j'allais un jour pouvoir à nouveau m'asperger les cheveux de quoi que ce soit sans inquiétude. L'anticlient était très bizarre, mais je commençais à saisir les grandes lignes de son plan.

Quelques minutes plus tard, le type chauve apparut parmi les squelettes de singes. Je me baissai un peu plus, jetant un coup d'œil par-dessous le gros caillou de l'espace. Ses chaussures de ville brillaient dans le noir.

Il n'était pas seul.

Chapitre 18

Les chaussures qui se trouvaient à côté des siennes étaient des bottes de cow-boy. C'était Stock-car Man, qui portait lui aussi la tenue noire classique des agents de sécurité lors de prestations officielles.

« Hunter ? lança le type chauve. On sait que tu es là. »

Je tentai de me convaincre du contraire, mais mon cœur battait la chamade et mes paumes étaient moites (je faillis les essuyer sur ma veste avant de me souvenir des deux mille dollars de remboursement).

Il n'y avait aucune issue possible. Ils étaient côte à côte dans l'entrée et faisaient bloc, anéantissant tous mes espoirs d'évasion.

Ils allaient peut-être s'engouffrer dans la salle des pierres précieuses et je pourrais alors me précipiter vers les escaliers. Mon costume de pingouin noir me camouflerait peut-être dans l'obscurité du musée. Jen allait peut-être apparaître et me sauver.

A priori, j'étais grillé.

Ils restèrent là quelques instants, puis j'entendis le type chauve marmonner : « Ça devrait le faire. »

Un bip léger et irrégulier me parvint aux oreilles. Un numéro que l'on composait…

Après deux secondes de battement, je me rendis compte de ce qu'il faisait. Tout était prévu depuis le moment où ils m'avaient rendu mon téléphone. Il composait *mon* numéro. La sonnerie allait me trahir.

Je fouillai dans ma poche, en extirpai le téléphone et coupai le son d'un geste rapide, perfectionné dans bien des cinémas. Puis je le fixai avec horreur pendant un instant, en réalisant que j'avais encore un autre truc de la taille d'un téléphone dans ma poche.

Le téléphone que je tenais dans ma main était-il le mien ou celui de Mandy ? Leur forme et leur taille étaient identiques et je ne parvenais pas à distinguer la couleur dans l'obscurité.

Je sortis le second…

Le premier téléphone s'illumina alors dans un silence joyeux, il vibra doucement et j'expirai sans bruit.

Un coup de chance d'avoir choisi le bon. (Ou peut-être avais-je un lien télépathique avec mon propre téléphone. Ça se discute.)

Les deux hommes s'étaient tus, ils tendaient l'oreille, et le téléphone de Mandy me donna une idée. Je le posai doucement sur la moquette rose industrielle et le poussai en direction de l'entrée de la salle des pierres précieuses. Il glissa parmi les ombres comme un palet de hockey, filant hors de ma vue. se cognant légèrement à quelque chose dans la pièce voisine.

«Tu as entendu ça?» dit Stock-car Man, mais le type chauve le fit taire.

Mon pouce infaillible était prêt à passer à l'action, composant à toute vitesse le numéro de Mandy. Quelques secondes plus tard, une certaine mélodie suédoise s'échappa de la salle d'à côté.

«*Take a chance on me...*»

«Il est là-bas.»

Les pieds se mirent en marche, les bottes de cow-boy fonçant sans plus attendre, les chaussures de ville lentes et avisées. Ils passèrent juste devant la météorite géante et restèrent dans l'embrasure de la salle des pierres précieuses, à nouveau côte à côte, sûrs de m'avoir finalement coincé.

Le petit air se faisait toujours entendre, avec ce légendaire entrain scandinave monomaniaque.

«Réponds au téléphone, bonhomme, dit Stock-car Man en riant. On veut te parler.»

Je commençai à faire le tour de la météorite, et m'aperçus qu'à force d'être resté accroupi là si longtemps, de douloureuses crampes me faisaient souffrir. Génial.

« Hé, je vois un truc qui clignote.

— Hunter, arrête de nous faire perdre notre temps. »

Je sortis en silence, traversant la moquette à grands pas. Ils étaient seulement à trois mètres de moi mais ils me tournaient le dos et scrutaient minutieusement l'obscurité. Stock-car Man se dirigea vers le téléphone de Mandy.

Je les quittai du regard et me concentrai sur mon avancée silencieuse à travers la salle de la biologie et de l'évolution humaine. Au fur et à mesure que mes jambes se dégourdissaient, les protohumains défilaient, revenant progressivement au stade béat du singe dans l'arbre et, soudain, je me trouvai devant les escaliers.

Je grimpai les marches quatre à quatre, abandonnant toute ruse.

À mi-chemin, une forme humaine qui reculait dans l'ombre se dressa devant moi. Je lui rentrai dedans et un juron m'échappa alors que nous trébuchions tous deux et tombions ensemble au sol.

« C'est quoi ce b... ? »

C'était la femme aux cheveux argent que Jen et moi avions remarquée aux abords de l'immeuble abandonné. Elle était si proche de moi que je distinguais parfaitement ses boucles d'oreilles en forme de fusée qui scintillaient à la lumière d'un panneau de sortie. Ils l'avaient postée là pour surveiller les escaliers.

Je brandis mon appareil photo Dup et le lui collai devant le visage, à quelques centimètres de ma main. Je fermai les yeux.

Et je déclenchai le flash.

La lumière clignotante s'immisça à travers le filtre rouge de mes paupières, assez puissante pour que je sente une once de son pouvoir d'embrouille cérébrale en me relevant. Elle la prit en pleine figure mais parvint malgré tout à tendre le bras et à m'agripper l'épaule.

Je me dégageai brusquement de son emprise. Les yeux ouverts à présent, je la vis battre des cils pour atténuer le flash, ses mains couvrant son visage comme des griffes.

«Espèce de c'tit pon!» cria-t-elle.

Je grimpai le reste des marches à toute vitesse et fonçai à travers les oiseaux empaillés jusqu'au cordon de velours.

En l'enjambant, je fis un signe de tête à un groupe de femmes en robe du soir.

«La fête continue par ici? demanda l'une d'elles.

— Ouais, ils distribuent des pochettes-cadeaux *vraiment top* là-bas. C'est juste à droite en bas des escaliers.»

Alors qu'elles me dépassaient, formant une

masse impénétrable, je remontai vers la salle des mammifères d'Afrique en composant le numéro de Jen.

« Hunter ! Tout va bien ?

— Je les ai semés en bas.

— Bien joué. »

Je me souris à moi-même. « Ouais, je m'en suis plutôt bien sorti, maintenant que j'y pense.

— Je savais bien que tu assurerais, une fois que ta frange aurait disparu.

— C'est clair, tout est dans la coupe, Jen. »

Mon ironie lui échappa complètement. « Merci.

— Écoute, ils ne vont pas tarder à remonter. Tu es où ?

— Je me dirige vers la sortie. Retrouve-moi au pied de l'escalier principal, dans la rue. T'appâterai un jaxi. Je veux dire, j'attraperai un taxi. »

Je souris, ravi d'entendre que Jen n'était pas immunisée contre le phénomène Dup. Je me demandai si elle avait fait un tour dans le planétarium ou si l'appareil photo Dup de la pochette-cadeau avait suffi.

Lorsque j'atteignis le cœur de la fête, les flashes crépitaient de toutes parts. C'était comme si un orage de folie s'était abattu sur la savane africaine, des lumières explosaient à chaque seconde, se reflétant sur les vitrines de verre qui protégeaient les animaux empaillés abasourdis face à ces humains ivres et trop bien habillés. Le sol collait à cause des boissons renversées, la couche de champagne et de rhum Noble Sauvage luisant à chaque flash. Les bribes de conversation que j'attrapais au passage étaient d'incompréhensibles inepties, comme si les *hoi aristoi* développaient leur propre langage juste sous mes yeux. Le ton général de la foule se faisait de moins en moins humain, qui laissait échapper grognements, cris stridents et éclats de rire démentiels. Le sol était jonché de nœuds papillons défaits, cinq cents ans de cravatomania piétinés.

Mon propre cerveau se déformait sous la pression et je perdais petit à petit la boule que j'étais parvenu à récupérer en bas, dans l'obscurité. J'allai de l'avant en bousculant la grouillante multitude de pingouins et de pingouinettes. Le service de sécurité avait disparu, personne pour mesurer l'étendue des dégâts. L'effet Dup avait peut-être aussi ébloui les responsables.

Je rejoignis le hall principal où les squelettes de dinosaures étaient toujours en position de lutte contre la mort, imperturbables face au chaos ambiant. Ils avaient vu pire. À l'entrée se tenait une grande femme qui me sourit et m'ouvrit la porte. La petite trentaine, élégante, saisissante de beauté et vêtue de noir

pour l'occasion, elle était l'incarnation parfaite de l'hôtesse fière du bon déroulement de
sa soirée.

«Bonsoir, dit-elle. Et merci mille fois d'être
venu.

— Je... je me suis mien abusé», bégayai-je, et
je sortis sous la bruine.

Les gouttes de pluie me rafraîchirent les
idées et à mi-chemin de l'escalier de marbre, mon cerveau embrumé réussit à m'infor-
mer qu'elle portait des lunettes de soleil. Elle
se protégeait des flashs. Elle était avec l'anticlient.

Je fis volte-face et vis que la jeune femme
me suivait des yeux. Puis elle glissa vers moi
et je me rendis compte qu'elle n'était pas
aussi grande que ce que je pensais — elle avait
des patins à roulettes aux pieds. Elle avança
jusqu'au bord des marches et me toisa, retirant
ses lunettes.

Elle était canon. Il faisait nuit, il pleuvait
et tout était mouillé, brillant et beau, le reflet
des voitures qui passaient miroitait sur sa peau
sombre. Elle descendit quelques marches,
tournoya sur elle-même, parfaitement à l'aise
sur ses patins, puis s'arrêta avec grâce.

«Hunter? appela-t-elle doucement, toujours
incertaine.

— RALENTIR», murmurai-je en la reconnaissant.

Avec ses mouvements fluides et son physique glamour, cette femme sortait tout droit du royaume fantasmatique du sportswear et des boissons énergétiques. Elle était l'assurance, le cool, le pouvoir et la grâce incarnés.

Elle était la Miss Black-Out de la pub du client.

«*Hunter*!» cria Jen depuis le trottoir d'en face.

Le visage de la femme se fendit d'un sourire, elle écarta son pouce et son petit doigt, approcha sa main de son visage et articula les mots «Appelle-moi».

Je me retournai et filai.

Chapitre 19

«Ça va?

— Tu l'as vue?

— Vu qui?»

Je m'affalai sur la banquette arrière du taxi, encore abasourdi par tout ce qui s'était passé, doutant à présent de choses dont j'avais été certain deux secondes auparavant.

«Elle.» J'étais incapable d'en dire plus et je lançai un coup d'œil par-dessus mon épaule vers la femme au sommet des marches du musée. Puis je m'aperçus que le taxi ne roulait pas; le compteur tournait au tarif de mise en attente. «Pourquoi est-ce qu'on ne…»

Je regardai Jen et sa transformation me laissa sans voix.

Elle sourit. «La robe te plaît?»

Je sais maintenant qu'elle lui arrivait aux chevilles, en dentelle pourpre et ondoyante, vintage et extraordinaire. Mais à ce moment-là je n'avais pas encore remarqué tout ça.

«Tes cheveux…»

Elle se gratta la tête. «Ouais, ça faisait long-temps que j'y pensais. L'été, tu sais comment c'est.»

Ses cheveux avaient pratiquement disparu, ils avaient été coupés à un demi-centimètre du crâne.

«Ça me change, tu trouves pas?»

Je parvins à acquiescer.

«Hé, ho, Hunter!» Elle se gratta à nouveau le crâne. «Tu n'avais jamais vu une boule à zéro avant, ou quoi?

— Euh, si, bien sûr.» Je souris en secouant la tête. «Tu n'y vas pas à moitié avec les déguise-ments, toi!»

Elle rit. «Je suis même allée demander à notre ami chauve où se trouvaient les W-C. Il n'a pas sourcillé.»

Me souvenant de lui et remarquant que le taxi était toujours à l'arrêt, je jetai encore un coup d'œil en direction de l'entrée du musée. La femme était toujours là-haut, patinant sur le parvis, elle allait d'avant en arrière sur la pierre lisse et mouillée avec une facilité décon-certante.

«Tu l'as vue? dis-je. Avec les lunettes de soleil…

— Ouais. J'ai pris une photo. De tous les quatre.

— Oh.» Cette idée de génie ne m'avait pas

traversé l'esprit, même si j'avais pu prendre un gros plan accidentel de Space Girl. « Ce serait pas le moment de se tirer, là, maintenant ?

— Il y a un truc que je voulais te montrer avant d'être hors zone. » Elle sortit un des appareils photo Dup.

« Ah ! dis-je en clignant des yeux. Je sais, j'ai déjà donné.

— Tu crois ? Regarde. » Elle couvrit le flash de sa main et prit un cliché. La lueur rouge à travers ses doigts renforça mon mal de tête.

Puis Jen leva sa main devant mon visage. Son bracelet Wi-Fi clignotait comme un fou. Les petites diodes crépitèrent pendant quelques secondes puis retrouvèrent leur état normal.

« Je ne comprends pas, dis-je.

— Les appareils sont branchés sur réseau. Ils sont sans fil.

— Quoi ?

— On peut y aller maintenant », lança Jen au chauffeur de taxi, puis elle se cala confortablement alors qu'il démarrait. Je scrutai un instant l'esplanade à travers le pare-brise arrière, mais la femme avait disparu. Seul un petit groupe de fumeurs s'était rassemblé à l'abri de la pluie.

« Des cartes Wi-Fi ont été placées dans les appareils, dit Jen. Quand tu prends une photo, celle-ci est transmise à une base non loin d'ici. La personne en charge de cette fête a récupéré tous les clichés de la soirée. »

Je me massai les tempes. «À mon avis, personne n'était en charge de quoi que ce soit. C'était le chaos.

— Un chaos parfaitement bien organisé. Le rhum qui coulait à flots, les flashs des appareils.

— La pub Dup.

— Quoi?»

Je lui parlai de la pub qui passait dans le planétarium, l'impression zarbi qu'on ressentait, l'écran qui clignotait à la fin.

«Intéressant, dit-elle, tout en étudiant l'appareil. Il faut qu'on se renseigne sur le mécanisme de ce truc-là. Peut-être une recherche Google genre "hypnose festive avec les compliments de la maison"?

— Ça serait un début. Ou bien "effet visuel provoquant… euh, machin truc-phasie".» Je me frottai les tempes. Pour une raison que j'ignore, je ne me souvenais plus du mot qui veut dire ne plus se souvenir des mots. «J'ai mal à la tête.

— Ouais, moi aussi.» Elle passa à nouveau ses mains sur la surface de son crâne ras et je ne pus m'empêcher de tendre le bras pour le toucher. Les cheveux fraîchement tondus étaient doux sous mes doigts.

«Ça fait du bien, dit-elle en fermant les yeux. Je suis nase. Un flash de plus et je plonge dans le coma.»

Je me souvins de la légende urbaine.

« Jen, tu as déjà entendu parler de cette vieille histoire, celle d'une série télé qui déclenchait des convulsions ? C'était un dessin animé japonais ou un truc comme ça.

— Tu te fous de moi. On dirait ce film débile où la cassette vidéo tue.

— Ouais, mais le film était inspiré d'une légende urbaine. Et, comme la plupart des légendes, elle se base sur des éléments réels. »

Elle haussa les épaules. « On peut toujours googler.

— En fait, j'ai une amie qui en sait plus long que Google, du moins pour tout ce qui concerne la culture pop japonaise. » Je sortis mon téléphone et regardai l'heure. « Si elle est réveillée. »

Je me mis à composer le numéro mais Jen m'attrapa le poignet, les yeux toujours clos. « Te stresse pas, attends qu'on soit un peu plus loin, OK ? » Elle se rapprocha et, dans un bruissement de robe, elle recroquevilla ses jambes sous les mètres de tissu pourpre. Les néons et les lumières de la rue défilaient sur elle alors que le taxi descendait Broadway. Avec les cheveux longs, Jen était jolie, mignonne, séduisante. Le crâne rasé, elle était belle.

« Aucun problème », dis-je, au rythme des battements joyeux de mon cœur.

Elle me prit la main. «On a assuré ce soir. J'ai comme l'impression qu'on a vraiment appris des choses à propos de l'anticlient.

— Dommage que rien n'ait de sens.

— Ça en aura bientôt.» Ses yeux s'ouvrirent, son visage était assez proche pour que je sente le Noble Sauvage dans son souffle. «Je dois te poser deux questions très importantes, Hunter.»

Je déglutis. «Balance.

— Un : pourquoi tes mains sont-elles violettes?

— Ah, ça.» Je les considérai. «Non seulement Dup n'est pas un shampooing, mais c'est aussi une teinture très résistante.

— Ah, ça, c'est pas gentil de leur part.» Elle sillonna la paume de ma main du bout de ses doigts et un frisson me parcourut.

«Quelle était l'autre question? demandai-je doucement.

— Eh bien, euh…» Elle se mordit la lèvre et mes yeux se collèrent à sa bouche. «Sais-tu…?

— Quoi?

— Sais-tu que ta veste est déchirée?»

Je fus paralysé un court instant, puis je suivis le regard de Jen jusqu'à mon épaule, où la manche était entaillée par une déchirure longue et irrégulière. Je me souvins de Space Girl m'agrippant le bras en haut des escaliers et de moi, essayant de me dégager violemment de son emprise. Mon estomac se noua.

«Et merde.

— Bon…» Elle se redressa et m'examina soigneusement de pied en cap. «Au moins, tout le reste a l'air d'aller.

— Cette veste vaut mille dollars!

— Ouais, aïe. Mais quand même… ton nœud pap est vraiment classe. Tu l'as noué tout seul?»

Chapitre 20

Tina Catalina nous reçut sur le pas de sa porte en jogging et haut de pyjama couvert de personnages japonais pour enfants – des pingouins boudeurs, des pieuvres joyeuses et une certaine Kitty dont le prénom est une salutation courante.

« Nouvelle coupe, Hunter ?

– Bien vu. Tu te souviens de Jen, hein ? »

Elle cligna des yeux, somnolente. « Oh ouais, du groupe témoin d'hier. J'ai aimé ce que tu as dit, Jen. Très cool.

– Merci. »

Tina fronça les sourcils. « Mais t'avais pas plus de… cheveux ? »

Jen frôla son crâne de ses doigts et sourit. « Je m'ennuyais.

– Alors tu les as rasés. » Tina fit un pas en arrière et calcula mon look smoking et la robe gigantesque de Jen. « Et puis vous êtes allés au bal de promo ? Ça existe encore ces trucs-là ?

– Une soirée de lancement en fait.» Je tripotai ma manche déchirée à mille billets. «La journée a été longue.

– Ça m'en a tout l'air. Les mains violettes, c'est un truc rétro-punk?

– Ouais, c'est un truc rétro-punk.

– Plutôt sympa.»

Tina nous conduisit dans sa cuisine dont les murs étaient roses et l'éclairage brutal. Des gadgets culinaires à l'effigie de personnages et des chats porte-bonheur en porcelaine recouvraient le comptoir, et la petite table était en forme de cœur. Tina bâilla et alluma la cafetière-grenouille souriante.

«On t'a tirée du lit? demanda Jen.

– Non, j'étais debout. J'allais prendre mon petit déj.

– Tu veux dire ton dîner?

– Non, petit déjeuner. Je suis en mode jet lag.

– Tina est accro aux air-miles, expliquai-je. Elle vit à l'heure de Tokyo.»

Tina acquiesça d'un air endormi tout en sortant des œufs du frigo. Son boulot l'envoyait à Tokyo tous les quinze jours et elle jonglait constamment entre le jour et la nuit, passant et repassant à l'heure japonaise. Son existence était articulée autour du décalage horaire. La lumière qui inondait la cuisine venait d'ampoules spécialement conçues pour berner son cerveau en lui faisant croire qu'on était en plein jour. Un grand graphique sur le mur suivait les manœuvres complexes de son cycle de sommeil.

C'était un emploi du temps astreignant, mais la chasse au cool au Japon pouvait rapporter gros. Tina était connue pour avoir été la première à dénicher un nouveau type de téléphone cellulaire, qui commençait tout juste à marcher aux States. Mi-téléphone, mi-animal de compagnie électronique, l'engin avait besoin qu'on le nourrisse (en composant un numéro spécial), qu'on le socialise (en appelant fréquemment d'autres propriétaires de télépotes), et qu'on joue à « c'est pour qui le susucre » pour qu'il soit content. En retour, votre téléphone sonnait à l'occasion pour vous transmettre des messages d'amour en miaulant. Et pour aider à la dépendance, tous les propriétaires agréés étaient en compétition générale permanente avec mise à jour à la minute près, et ceux qui obtenaient les meilleurs scores recevaient des minutes gratuites pour renforcer un peu plus leur obsession. Au Japon, le système avait été entièrement détourné par les utilisateurs, mais ici les grosses multinationales avaient fait main basse sur le marché et Tina avait droit à un pourcentage.

Hormis les avantages professionnels, Tina adorait tout ce qui était mignon avec de grands

yeux, ce sur quoi les Japonais avaient un mono-
pole bétonné.

Son autocuiseur à riz rose en forme de lapin
prononça quelque chose d'une voix de crécelle.
Le riz était probablement prêt.

«Vous avez faim? demanda-t-elle.

— J'ai mangé à la fête, dit Jen.

— En fait, je...» Pour Tina, la nourriture
consistait en des haricots plats déshydratés et
galettes d'algues hypersalées, mais j'étais au
bord de l'évanouissement. «... suis affamé.»

Elle servit deux bols de riz.

«Alors, qu'est-ce qui t'amène, Hunter-san?
Tu as repéré des télépotes au lycée?

— Euh, c'est l'été. On va pas en cours l'été,
ici en Amérique.

— Ah, ouais.

— Tu n'as pas eu de nouvelles de Mandy, par
hasard?

— Depuis la réunion d'hier?» Tina haussa
les épaules. «Non. Pourquoi?

— Elle a disparu.»

Tina planta un bol devant moi et s'assit. Je
baissai les yeux et découvris un œuf cru qui
me regardait depuis son lit de riz.

«Disparu?» Tina versa de la sauce de soja
sur son œuf cru, se mit à remuer le tout en une
bouillie marronnasse et saupoudra de pail-
lettes de piment rouge. Mon estomac se mit à

gronder, totalement indifférent à mes autres réactions.

« On devait la rejoindre à Chinatown, dit Jen. On n'a mis la main que sur son téléphone.

— Oh, pauvre chou », dit Tina en parlant du téléphone, comme s'il s'agissait d'un pauvre chiot abandonné sur le bord de la route.

« On n'a pas réussi à la retrouver, mais des tas de trucs étranges sont arrivés entre-temps, dis-je. Tu pourras peut-être nous éclairer sur l'un d'eux. Ce soir, à la fête, il y a eu une pub bizarre qui nous a donné mal à la tête.

— Pardon ?

— Bon, ils distribuaient ce shampooing... qui était en fait de la teinture violette. » Je fis un signe de main rétro-punk. « Je veux dire...

— C'est *ça* qu'il veut dire », dit Jen, pointant son appareil photo Dup en direction de Tina. J'eus à peine le temps de fermer les yeux. Le clignotement familier traversa mes paupières comme une perceuse.

Lorsque je les ouvris, l'éblouissement-Dup se lisait sur le visage de Tina.

« Ouah. C'est bizarre.

— Ouais, tout le monde à la fête a trouvé ça bizarre aussi, dis-je. Et je me suis rappelé une légende urbaine sur une série télé japonaise pour gamins. Elle déclenchait des convulsions ou un truc dans le genre.

— C'est pas du tout une légende, dit Tina

doucement, toujours étourdie par le flash. C'est l'épisode 38. »

« C'est vous qui avez voulu le voir, dit Tina. Ça ne sera pas ma faute si vous en mourez. »

Jen et moi nous regardâmes rapidement. Nous étions installés dans le salon de Tina, où se trouvait un magnétoscope et où je découvris que riz, œuf cru et sauce soja, le tout mélangé, n'était finalement pas si mauvais que ça. Ça ne l'est pas si on est affamé, en tout cas. Selon Tina, c'était ce que les enfants japonais mangeaient au petit déjeuner, et c'était à peu près l'heure à Tokyo en ce moment même. J'étais peut-être en train de vivre une sorte de moment transpacifique paranormal.

« *Si on meurt* ? demanda Jen.

— Non qu'il y ait vraiment eu des morts, bien entendu. Mais plus de six cents enfants ont été hospitalisés.

— À cause de la télé ? demanda Jen pour la énième fois. Et c'est vraiment arrivé ?

— Ouais. Le 16 décembre 1997, une date infâme qui restera gravée à tout jamais. Vous auriez dû voir tout le tapage anti-animation nippone qu'il y a eu.

— Et tu l'as vraiment regardé ? demandai-je. De ton plein gré ?

— Bien sûr. Il fallait que je le voie, tu sais. D'autant qu'*a priori*, on est à l'abri. Seul un

208

spectateur sur vingt a mal réagi, en fait. Et ce sont surtout des enfants qui ont été affectés. Plus jeunes que vous, je veux dire. La moyenne d'âge était d'environ dix ans, je crois. »

Cela me rassura un peu.

« Mais c'était une émission pour gamins, dit Jen. Ça affecte peut-être tout le monde, mais peu d'adultes la regardaient. »

Cela ne me rassura plus vraiment. Je voulais qu'on me rende ma frange protectrice.

« Les scientifiques qui l'ont étudiée ne le pensent pas, répondit Tina. Après la première fournée de gamins hospitalisés cet après-midi-là, l'extrait mortel passa aux infos nationales le soir même.

— Ils l'ont montré *deux* fois ? dit Jen.

— Tout pour l'audimat. Bref, toutes sortes de gens regardent les infos, il n'y a pas d'âge, mais là encore ce ne sont que des enfants qui ont été hospitalisés. Des enfants pour la plupart, apparemment. Ils pensent que c'est à cause de leur cerveau et de leur système nerveux encore en développement.

— Mais il n'y avait aucun enfant à la fête *Hoi Aristoi*, dit Jen. Et personne n'a eu de véritable crise de convulsions. Ils parlaient juste bizarrement et se sont tous mis à faire n'importe quoi.

— Euh, fit Tina. On dirait que vous avez eu droit à un truc totalement inédit : une séquence paka-paka montée de toutes pièces.

— Une quoi ?

— Les dessinateurs d'animation japonais utilisent beaucoup de flashs de couleur, expliqua Tina. Ils ont même un mot pour les décrire : paka-paka. Ce qui s'est passé pour l'épisode 38 était un accident : ils sont tombés sur le nombre exact de flashs entraînant l'envoi des gamins à l'hôpital. Ils ne l'ont pas fait exprès. »

Jen hocha la tête. « Mais si quelqu'un à la fête a eu recours à ces paka-paka intentionnellement, des tests ont peut-être été faits. Et on a peut-être trouvé un moyen de le faire agir sur des gens plus âgés.

— Et d'atteindre tout le monde au lieu d'une personne sur vingt ? » Tina semblait sceptique.

« C'est une charmante idée, dis-je.

— Mais qu'est-ce que cela a à voir avec Mandy de toute façon ? » demanda Tina.

Jen et moi échangeâmes un regard.

« On ne sait pas, admis-je.

— Les gens qui *eux* savent nous ont invités à la fête, reprit Jen. Mais nous n'avons aucune idée de ce qu'ils manigancent, à part pourrir la tête des gens. »

Tina brandit la télécommande. « Eh bien l'épisode 38 se classe dans cette catégorie. Vous voulez le voir ou pas ? »

Jen hocha la tête. « J'en meurs d'envie.

— Tu choisis bien tes mots », grommelai-je.

Tina alluma la télé. « Ne vous asseyez pas

trop près. Il paraît que c'est pire quand on se rapproche. »

Je pris ma bouillie de riz et reculai jusqu'au canapé. Jen resta où elle était, prête à prendre la vague. Comme je le disais, souvent les Innovateurs n'ont pas le gène évaluation-du-risque.

D'un autre côté, c'était peut-être simplement de l'incrédulité. Il était difficile de concevoir que la télé puisse nuire à ce point – c'était comme si vous découvriez que votre ancienne baby-sitter était un tueur en série.

« Donc, dit Tina, voici l'épisode 38, également connu sous le nom de *Guerrier informatique polygone.* »

L'écran s'alluma en tressautant, avec la qualité floue d'une copie de copie de cassette pirate. J'espérais que la mauvaise définition nous assurerait une couche protectrice de plus.

Un titre apparut :

Avertissement : INTERDIT aux enfants.

Peut provoquer des convulsions.

Je reculai le plus possible.

Le dessin animé commença, du genre typique : une bande de personnages aux voix stridentes hurlaient en japonais, une certaine marque bien connue de monstres évolutifs qui existent sous forme de jouets et de cartes à échanger. Pas une seule image ne durait plus d'une demi-seconde.

« Je suis déjà en pleine crise », dis-je par-dessus le bruit.

Tina passa en mode accéléré, ce qui n'arrangea rien.

Après quelques minutes en hyperspeed, le chaos revint à vitesse normale. « OK, l'histoire jusqu'ici : Pikachu, Ash et Misty sont dans un ordinateur. Un programme antivirus tente de les effacer en leur tirant dessus à coups de missiles.

– Les programmes antivirus utilisent souvent des missiles ? demanda Jen.

– C'est une métaphore.

– Ah, dit Jen. Comme Tron[1], mais qui aurait carburé aux expressos. » (C'était une super-remarque. J'accepte donc de créditer le produit.)

Parmi les images qui défilaient, je repérai des lancements de missiles. Puis Pikachu, le protagoniste jaune à face de rat de la série, avança brusquement pour lâcher un cri de guerre perçant et un éclair fulgurant.

« On y est », dit Tina.

Je plissai les paupières, en espérant que Jen se débinerait comme moi. Lorsque l'éclair de Pikachu frappa le missile, l'écran se mit à clignoter en rouge et bleu, les flashs vacillant sur

---

1. Film américain de Steven Lisberger (1982), le premier sur les jeux vidéo et la réalité virtuelle. (*N.d.T.*)

les murs blancs de l'appartement, sans échappatoire possible, et ce pendant six longues secondes. Et ce fut tout.

Une légère migraine, rien de plus. Je soupirai de soulagement.

«C'étaient les mêmes couleurs que la pub Dup», fis-je remarquer.

Tina acquiesça. «Le rouge crée la réaction la plus forte.

— Mais ce n'était pas aussi intense qu'à la fête. Ça t'a semblé pareil, Jen?»

Elle ne répondit pas, ses yeux verts rivés sur les images toujours aussi frénétiques du dessin animé. L'intrigue l'avait-elle captivée?

«Jen?»

Elle s'affaissa vers l'avant et s'écroula sur le côté.

Ses paupières papillonnaient.

Chapitre 21

«Jen!» Je bondis du canapé, éparpillant tout autour des boulettes de riz bouilli.

«Oh, waouh! s'exclama Tina. Ça a marché! Je n'aurais jamais cru que ça marcherait vraiment!»

Les yeux de Jen étaient clos, mais ses paupières tressaillaient comme celles d'une personne endormie prise dans un rêve déchaîné. Je stabilisai sa tête entre mes mains.

«Jen? Tu m'entends?»

Elle gémit, puis tendit ses mains vers mes bras et les empoigna faiblement. Ses lèvres remuaient, je me penchai vers elle.

«Je suis une Daponaise de jix ans, dit-elle.

– Hein?

– Une Japonaise de dix ans, je veux dire.»

Ses yeux s'ouvrirent et clignèrent.

«Salut Hunter. Waouh, ça, c'était cool.

– C'était *pas* cool!» dis-je.

Jen rigola.

« Est-ce que j'appelle le Samu ? » demanda Tina, son télépote à la main. En pleine montée d'adrénaline, je remarquai clairement qu'il avait des oreilles roses en plastique de chaque côté de l'antenne.

« Non, je vais bien. » Jen se releva dans mes bras et se rassit. La pression de sa main sur mon épaule me paraissait faible et chancelante.

« Tu es sûre ?

— Ouais, je me sens top en fait. » Elle baissa d'un coup la voix et chuchota : « J'ai tout compris maintenant. Je sais ce qu'ils manigancent.

— Hein ?

— Ramène-moi à la maison. Je te raconterai sur place. »

Tina avait flippé, mais le choc l'avait définitivement remise à l'heure de Tokyo. Elle n'allait pas dormir de sitôt. Elle et Jen s'excusèrent mutuellement au moins quatre ou cinq fois (« Désolée d'avoir provoqué cette crise ! », « Désolée d'avoir bavé sur ton tapis »), puis nous partîmes.

Nous marchâmes en direction de chez Jen, elle se reposant sur moi, la nuit semblant bien réelle et concrète. Après une soirée de flashs-à-épilepsie, les phares des voitures qui passaient lentement et le clignotement régulier des feux de circulation paraissaient aussi majestueux qu'un coucher de soleil.

«Je me sens tellement nulle.

– Sois pas bête. Ça aurait pu arriver à n'importe qui.

– Ah bon ? Je t'ai pas vu devenir tout dingue et baveux.

– Je n'étais pas aussi proche de la télé que toi. Et je plissais les paupières.

– Tricheur. »

Je haussai les épaules, me souvenant que j'avais carrément détourné le regard au moment précis des paka-paka. « C'est peut-être bon signe après tout.

– Qu'est-ce qui est bon signe ?

– D'être une Daponaise de jix ans. Souviens-toi de ce que Tina a dit : l'effet est plus efficace sur les gens qui ont le cerveau encore en développement.

– Merci bien.

– C'est peut-être d'ailleurs pour ça que tu es une Innovatrice. Parce que tu ne vois pas les choses comme tout le monde. Tu es comme une gamine. Tu réajustes les circuits de ton cerveau tout le temps. Alors un petit paka-paka a plus de chances de t'atteindre. »

Elle s'arrêta au pied de son immeuble et me fit face, un grand sourire aux lèvres.

« C'est le truc le plus cool qu'on m'ait jamais dit.

– C'est juste que… »

Elle m'embrassa.

Ses mains serrèrent mes épaules, elles avaient soudainement retrouvé leur force, et ses lèvres se pressèrent fermement contre les miennes. Je sentis sa langue glisser sur mes dents avant qu'elle ne se dégage. Des phares de voitures nous balayaient au passage et elle se détourna de leur lumière, prise d'une soudaine timidité. Mais le sourire demeurait sur ses lèvres.

« Rappelle-moi de te le dire plus souvent, dis-je.

— Compte sur moi. » Elle joignit ses mains dans mon dos et m'attira vers elle.

Quelques instants plus tard, nous entrions dans son immeuble.

Lorsque Jen ouvrit la porte de son appartement, nous trouvâmes sa sœur attablée dans la cuisine, le tamiseur de farine qu'elle tenait à la main laissant échapper de méchants nuages blancs. Ses cheveux étaient tirés et elle portait un sweat-shirt Yale aux manches relevées et un jogging. Elle avait de la farine jusqu'aux coudes. Alors qu'elle nous regardait, je notai que le raffinement de nos tenues de soirée éveillait une certaine tendance à l'agacement, probablement celui d'une grande sœur qui travaille à plein temps et vit avec sa petite sœur qui ne travaille pas du tout.

« Salut Emily.

— Je n'ai jamais dit que tu pouvais emprunter ma robe. »

Jen soupira et sa main lâcha la mienne. «Non, c'est pour ça que je t'ai laissé un mot.

— Ça va, Jen ? Tu as une sale gueule.

— La nuit a été longue. Mais c'est sympa de me le faire remarquer. »

Emily pinça les lèvres à la vue de ma manche déchirée et des cheveux tondus de Jen.

« C'est à nouveau la boule à zéro, hein ? Et vous étiez où comme ça ?

— À une soirée de lancement.

— Tu es saoule ?

— Non, juste fatiguée. Hunter, je te présente Emily, ma *mère*.

— *Loco parentis*[1]. Enchantée, Hunter.

— Salut. »

Jen m'entraîna vers sa chambre. «À tout', Emily. »

Emily fronça les sourcils. «N'oublie pas de dire au revoir en partant, Hunter. »

« Désolée pour ma sœur, dit Jen. Elle déteste quand je lui pique ses fringues. Ce qui arrive fréquemment. »

Je jetai un coup d'œil vers la porte, m'attendant à ce qu'elle s'ouvre en grand à tout moment. Je voyais l'heure tourner et Emily mesurer mon temps de présence dans la chambre de Jen ; je

---

1. Expression latine signifiant «agir à titre de parent». (*N.d.T.*)

me demandais quelles étaient les règles de la maison. Mon cœur battait toujours à cause du baiser dans la rue.

Jen suivit mon regard. « Ne t'inquiète pas, j'expliquerai tout à Emily demain.

— Expliquer quoi ? Que t'as eu besoin de sa robe de bal de promo pour résoudre un kidnapping ?

— Hmm. Peut-être que j'irai juste lui acheter un moule à macarons ou un truc du genre.

— Elle en a déjà un », dis-je. Ma tête tournait et je sentais la fatigue s'installer.

Jen soupira. « Emily déteste aussi que je sois là tout court. Je veux dire que ça ne la dérange pas de vivre avec moi, mais c'est le fait que j'aie pu revenir vivre à New York à seize ans qui la fait enrager. Elle n'a eu le droit d'habiter ici qu'à l'âge de dix-huit ans. Pour elle, je suis la chouchoute de la famille. »

Je levai un sourcil.

Elle déglutit. « C'est flagrant, hein ? »

Je haussai les épaules. Quiconque prenait autant de risques que Jen était incontestablement le plus gâté. Ces dix-sept dernières années, quelqu'un avait fait beaucoup d'efforts pour la remettre en selle après ses chutes. Probablement une certaine grande sœur.

Je jetai à nouveau un coup d'œil vers la porte. « Je devrais peut-être y aller.

— Je suppose que oui. » Elle s'affala sur son

lit. « Mais avant de partir, laisse-moi te faire part de ma révélation. Quand je délirais total.

– Tu n'as pas vu Dieu, j'espère ?

– Non, j'ai vu Pikachu. Mais quelque chose m'a frappée. Je me suis rendu compte du truc évident que nous avions laissé passer malgré tous ces indices.

– Et c'est quoi ?

– Qui que soit l'anticlient, il en connaît un rayon. Mais c'est pas *n'importe* quel rayon : Wi-Fi, animation japonaise, soirées de lancement, chaussures cool, magazines branchés et grandes marques.

– Ouais, ça résume assez bien l'anticlient.

– Alors, ça te rappelle pas quelque chose ? »

Je restai planté là un instant, forçant mon cerveau à dépasser l'épuisement et le mal de crâne paka-paka, essayant d'assembler toutes les pièces du puzzle. La technologie dernier cri, les plus cool chaussures du monde, la fête avec les pochettes-cadeaux les plus top, les effets secrets du pouvoir de suggestion de la culture pop japonaise.

Et puis ça m'est venu d'un coup, comme un flash. Pas une crise d'épilepsie induite par des séquences de couleurs primaires, mais un bon vieux flash monochrome de cerveau type Hunter.

« Ça nous ressemble.

– Ouais, Hunter. Ce sont tous *vos* trucs, à

toi et tes potes cool, tous rassemblés dans une sorte de plan marketing tordu.

– Tu veux dire… ?

– Oui. Quelque part dans cette ville, un traqueur de cool a pété les plombs. » Elle me prit la main. « Et c'est notre devoir de l'arrêter, sinon le monde court à sa perte.

– Hein ?

– Désolée, c'était plus fort que moi. » Elle fit un grand sourire. « Je suis mortelle ! »

Puis elle soupira, ferma les yeux, se laissa tomber en arrière sur son oreiller et sombra instantanément dans un profond sommeil, comme une princesse sortie d'un conte de fées skinhead, dans sa robe pourpre et la boule à zéro.

J'observai un temps sa respiration régulière, pour m'assurer qu'aucun sursaut épileptique ne s'emparait de ses yeux ni de ses mains. Mais elle dormait à poings fermés, telle une gamine de dix ans épuisée. Je posai enfin un baiser sur son front et m'attardai pour humer l'odeur de vanille de ses cheveux.

Je me relevai, chancelant, et allai à la cuisine où Emily, attablée, tamisait toujours sa farine.

« Je pense que c'est le moment de rentrer. Ravi d'avoir fait ta connaissance, Emily. »

Elle arrêta de tamiser et soupira. « Désolée si j'ai été désagréable tout à l'heure, Hunter.

J'en ai parfois un peu marre de jouer à la maman.»

J'eus une brève vision de ce que pouvait donner un Innovateur au sein d'une famille : votre petite sœur qui se comporte tout le temps comme une dingue, qui attire toute l'attention (négative et positive), qui chipe et reconstruit tous vos jouets et plus tard vos vêtements et qui, finalement et de manière inattendue, devient beaucoup plus cool que vous. J'imaginais bien que cela puisse être très énervant.

Ma propre relation avec Jen me coûtait en moyenne mille dollars par jour, mon haussement d'épaules fut donc plein de sympathie. «Pas de problème.»

Emily jeta un œil en direction de la porte close de la chambre de sa sœur. «Elle va bien ?»

J'acquiesçai. «Juste fatiguée. C'était une fête démente.

— C'est ce que j'ai cru comprendre.» Son regard s'arrêta sur mes mains violettes et se rembrunit, mais elle ne dit rien.

Je les enfonçai dans mes poches. «Ouais, démente. Mais Jen va bien, ou ira mieux demain.

— Elle a intérêt, Hunter. Bonne nuit.

— Bonne nuit. Et ravi d'avoir fait ta connaissance.

— Tu l'as déjà dit.»

J'eus un dernier sursaut d'énergie en rentrant à pied chez moi. Mes lèvres vibraient du baiser, du goût du Noble Sauvage gratis et d'un simple fait : mains violettes ou pas, anticlient ou pas, sœur aînée ou pas, j'allais revoir Jen demain. Elle m'aimait bien. *M'aimait* bien.

J'avais même récupéré mon portable. Mais à cette pensée, je vis à nouveau le dernier geste de la femme sur le parvis du musée. « Téléphone-moi », avait-elle fait signe.

Comment étais-je censé pouvoir le faire ? Je sortis mon portable.

Me souvenant que le type chauve avait appelé mon téléphone dans la salle des météores, je vérifiai les numéros entrants. L'appel avait été enregistré et l'heure était inscrite, mais le numéro était masqué.

Ils avaient peut-être introduit quelque chose dans la mémoire du téléphone pendant qu'il était en leur possession. Je parcourus la liste de noms qui m'étaient familiers, cherchant quelque chose de nouveau.

Arrivé au numéro de Mandy, je m'arrêtai. Ils avaient son téléphone maintenant, bien sûr. Si je voulais les retrouver et retrouver Mandy, je pouvais toujours appeler.

Mon pouce survola la touche appel, mais j'étais trop fatigué. Je me sentais frêle et transparent, comme un chewing-gum tendu entre les dents et le doigt, prêt à rompre. L'idée d'une nouvelle rencontre avec l'anticlient allait me déclencher des convulsions.

Donc, pour la vingtième fois de la journée, je suivis l'exemple de Jen et rentrai me coucher.

Chapitre 22

«Tu t'es lavé les mains ?

– Oui, je me suis lavé les mains.» (Pendant dix bonnes minutes. Toujours violettes.)

«Je suis ravi de… Nom de Dieu, Hunter, tes cheveux!»

Attablés face à face, Maman et moi nous sourîmes alors que le terrifiant diagramme du matin tombait des mains de mon père.

«Ouais, j'ai décidé de changer de look.»

Il reprit son souffle. «Tu n'as pas raté ton coup, ça c'est sûr.

– *Et* il portait un smoking et un nœud papillon hier soir», précisa Maman. Puis elle ajouta en chuchotant : «C'est la nouvelle fille.»

Mon père ferma la bouche et acquiesça avec cette expression insupportable d'un parent qui croit tout savoir. Heureusement que ce n'était pas le cas.

«Je croyais que tu l'avais rencontrée il y a deux jours à peine ?

– Ah bon ? » m'étonnai-je. Mais il avait raison : je connaissais Jen depuis moins de quarante-huit heures. Une pensée qui fait réfléchir.

« Elle ne fait pas les choses à moitié, lui concédai-je.

– Tes mains sont violettes ? constata mon père alors que je versais le café.

– Un truc rétro-punk. En plus, la teinture tue les bactéries.

– Les mômes…, dit Maman. Alors, qu'avez-vous fait tous les deux hier soir ? Tu ne m'as toujours rien raconté.

– On était à une soirée de lancement pour un magazine, puis on est, hum, allés regarder des vidéos chez Tina.

– Qu'est-ce que vous avez vu ?

– *Guerrier informatique polygone.* » Je bus ma première gorgée de café de la journée.

« Kevin Bacon joue dedans ?

– Oui Maman, Kevin Bacon joue dedans. Oh, attends, en fait non. C'est de l'animation et c'est japonais. » Je nommai la série.

Regardant d'un air déconcerté mes cheveux décolorés au lieu de mon visage, mon père lança : « Ce ne serait pas un de ces dessins animés qui provoquent des crises d'épilepsie ? »

Je me retins de faire un café-craché. « Comment es-tu au courant de ça ? L'épilepsie est une maladie contagieuse maintenant ?

– Eh bien en quelque sorte, oui. La majorité des réactions dans ce cas était sociogénique. »

OK, encore pire que d'avoir un père qui vous sort le mot *sociogénique* au petit déjeuner, c'est de savoir exactement ce qu'il entend par là.

Papa raconte cette histoire très cool :

1962, dans une usine de textile en Caroline du Nord. Un vendredi, l'une des ouvrières tombe malade et dit qu'elle a été piquée par des bêtes alors qu'elle travaillait sur un tissu en provenance d'Angleterre. Puis deux autres ouvrières sont hospitalisées pour malaise et urticaire. Le mercredi suivant, l'épidémie éclate. Six employées en poste ce matin-là tombent malades à leur tour et le gouvernement fédéral envoie une équipe de médecins et d'entomologistes. Ils découvrent les choses suivantes :

1. Il n'y a pas d'insectes mortels, ni d'Angleterre ni d'ailleurs.

2. Les divers symptômes des employées ne correspondent à aucune maladie connue.

3. La maladie n'a pas affecté la totalité des ouvrières en poste le matin, seulement celles qui se connaissaient personnellement. L'épidémie s'est répandue socialement plutôt que parmi celles qui travaillaient le tissu suspect.

Cela avait tout l'air d'un coup monté, mais les victimes ne faisaient pas semblant. La maladie était sociogénique, un phénomène dû à la panique. Au fur et à mesure que la rumeur de la maladie se propageait, les gens étaient persuadés qu'ils se faisaient piquer par des bêtes et, quelques heures plus tard, les symptômes apparaissaient. Ça marche vraiment. Tenez : des bêtes sur vos jambes... des bêtes dans votre dos... des bêtes qui fourmillent dans vos cheveux... des bêtes, des bêtes, des bêtes. OK, vous les sentez, les bêtes, maintenant ?

Je pense que vous les sentez (sinon ce sera le cas dans quelques minutes). Allez-y, grattez-vous.

L'épidémie en Caroline du Sud s'était répandue comme un bâillement, de cerveau en cerveau.

Comment l'ont-ils arrêtée ? Simple. Ils ont désinfecté l'usine à fond par fumigation en y balançant des nuages de gaz toxique, devant toute l'assemblée. Du vrai gaz toxique. Car si vous *croyez* que les bêtes imaginaires sont mortes, elles arrêtent de piquer. Un peu comme la fée Clochette... mais en bestiole.

Et l'épidémie fut éradiquée.

« Tu veux dire que les convulsions n'étaient pas de vraies crises d'épilepsie ?

— Pour la plupart, non, seulement quelques-unes au début, dit-il. D'après ce que j'ai lu, le nombre d'enfants hospitalisés était assez bas au départ. Mais une fois que les crises ont été rendues publiques aux infos, les chiffres ont explosé. Les parents ont paniqué et ont fait flipper leurs enfants. Les enfants sont allés à l'école le lendemain et en ont bien sûr parlé pendant la récré. La majorité des victimes ont été envoyées à l'hôpital le *lendemain soir* de la retransmission. Ils voulaient juste suivre le mouvement, je suppose.

– Ça me paraît très logique», dis-je, repensant à la soirée. Tina avait peut-être tout faux et l'anticlient n'avait pas perfectionné le paka-paka afin qu'il agisse sur tout le monde. Ils n'en avaient pas eu besoin. Au lieu de cela, les miniconvulsions s'étaient propagées comme des bêtes imaginaires, sautant d'un cerveau à l'autre. La pub Dup avait montré des acteurs éblouis et étourdis et, par effet d'hypnose, l'étourderie et la confusion avaient gagné tout le monde. (Le but même d'une pub, en définitive, à savoir vous pousser à vous comporter d'une certaine manière.) Peut-être qu'une poignée de gens seulement avaient réagi aux flashs. Puis, comme des Initiateurs qui propagent une mode, ils avaient entraîné tous les autres invités sur le chemin de l'éblouissement.

Si quelques-uns d'entre nous acceptent de se faire court-circuiter les neurones, les autres suivront.

« C'est très fréquent avec les épidémies, conclut mon père. Surtout lorsque cela concerne des enfants.

— Alors, y a-t-il une épidémie de gamins qui teignent leurs mains en violet, Hunter ? demanda Maman.

— Non, seulement moi et Kevin Bacon.

— Vraiment ? Il ne me paraît pas très "punk". »

Eh oui, elle disait le mot *punk* entre guillemets.

Je fus sauvé du petit déjeuner par un appel de Cassandra, la colocataire ou petite amie de Mandy.

« Cassandra ! As-tu eu des nouvelles de Mandy ?

— Ouais, Hunter, elle a appelé tard hier soir. Apparemment, elle a dû s'absenter à la dernière minute.

— *Elle* a appelé ? Avec son propre téléphone ?

— Oui. Pourquoi, elle n'aurait pas dû ?

— Euh, comment a-t-elle pu... Je veux dire, comment allait-elle ?

— Elle semblait un peu stressée, mais c'est normal, tu sais. Elle n'a même pas eu le temps de faire son sac, alors ils ont envoyé un coursier pour prendre quelques affaires. Bref, après ton message, j'ai pensé t'appeler pour te mettre au courant. Mandy m'a dit que son téléphone ne marchait pas toujours là-bas.

— Là-bas où ?

— Quelque part dans le New Jersey, je crois. »

Mes doigts martelaient la table, je me demandais si je devais la tenir informée, au risque de la faire flipper, mais je décidai de ne pas propager inutilement mes probables bêtes imaginaires.

« Elle t'a dit combien de temps elle allait s'absenter ?

— Pas exactement. Elle m'a juste demandé de rassembler des affaires pour quelques jours. Tu peux toujours essayer de l'appeler. »

Je me mordis la lèvre. C'est ce qu'ils voulaient.

Jen me retrouva à l'endroit des canapés rustiques et du café corsé. Elle avait l'air bien mieux après une nuit de sommeil postconvulsions. En fait, elle était superbe. Sa boule à zéro me prit à nouveau par surprise ; durant la nuit, l'image mentale que j'avais d'elle était repartie sur des cheveux longs. Elle hésita un instant à l'entrée, son bracelet clignotait, puis elle sourit en m'apercevant sur notre divan habituel.

Je me levai alors qu'elle traversait la salle, puis ses bras m'enlacèrent.

« Salut Hunter. Désolée de t'avoir planté hier soir.

– C'est bon. » Je l'installai et allai chercher du café, jetant un coup d'œil par-dessus mon épaule en attendant que le barman me serve, juste pour m'assurer que Jen était toujours là, me souriant, genre : *Ouais, je t'ai embrassé hier soir.*

Les cafés arrivèrent et je les apportai à notre table.

Lorsque j'informai Jen que Cassandra m'avait appelé, elle tomba d'accord avec moi : cela ne nous apprenait absolument rien de nouveau. Tout ce que ça signifiait était que l'anticlient avait réussi à convaincre Mandy de brouiller les pistes et que les flics n'étaient pas près de nous aider.

« J'ai une théorie, dit Jen.

– Une autre vision ? »

Elle secoua la tête en jouant avec son bracelet Wi-Fi qui scintillait dans l'incessant trafic sans fil du café, alors qu'autour de nous les gens effaçaient les spams, téléchargeaient de la musique et demandaient au système de communication le plus puissant de la planète de leur trouver des photos de joueuses de tennis blondes.

« Juste l'activité cérébrale quotidienne, et j'en suis ravie. Un peu de bidouillage, aussi : ce matin, je me suis amusée à démonter mon appareil Dup. J'avais raison. Quand tu prends une photo, ça envoie une copie de l'image à la base Wi-Fi la plus proche.

– Mais pourquoi ? »

Elle se rapprocha de moi comme si le divan était truffé – de micros, pas de bêtes. Des bêtes dans vos cheveux. Des bêtes sur votre chaise.

« Bon, ces gens-là se sont donné beaucoup de mal pour organiser la soirée d'hier, d'accord ? Ils ont dépensé beaucoup de fric.

– Ouais, ils ont dû créer un tout nouveau shampooing, réaliser un spot publicitaire pour le produit, raquer pour cosponsoriser la fête. Ces trucs peuvent coûter jusqu'à un million, facile.

– Et le plus dingue, c'est qu'ils ont donné gratuitement cinq cents appareils digitaux branchés sur Wi-Fi. Tout ça juste pour réunir un paquet de photos de gens riches au comportement déplacé. »

Je hochai la tête, me souvenant des flashs qui crépitaient de tous les côtés dans le chaos grandissant. Plus les appareils libéraient de paka-paka, plus le comportement des invités empirait, ce qui incitait à prendre plus de photos, et ainsi de suite.

« Ouais, je suppose qu'ils devaient en avoir une tonne ce matin.

– Ce qui me fait croire à du chantage, comme mobile, dit-elle.

– Je n'en suis pas si sûr. » Je m'installai au fond du divan défraîchi et me laissai aller à son emprise. « En admettant que tout le monde se soit déchiré la tête et ait fait n'importe quoi, je ne vois pas en quoi c'est illégal. Qui paierait des pots-de-vin pour couvrir un jeune de vingt ans qui se défonce et fait l'idiot à une fête ?

– Un politicien ? Peut-être que le fils ou la fille de quelqu'un d'important était là hier soir. »

Je secouai la tête. « C'est une trop petite cible. L'anticlient voit grand. Franchement, je ne crois pas qu'ils aient fait tout ça pour de l'argent.

– Lexa n'a-t-elle pas dit qu'il y avait beaucoup d'argent sur le marché du cool ?

– C'est le cas. Mais ça ne veut pas dire que l'anticlient considère que c'est cool d'avoir de l'argent. »

Jen démêla tout ça dans sa tête pendant une seconde, puis s'enfonça dans le canapé et soupira. « Alors qu'est-ce que tu en penses, Hunter ? »

Je revoyais toujours cette femme me mimant le geste de l'appeler. Il le faudrait bien, tôt ou tard, mais pas avant d'en savoir plus.

« Je pense qu'il faut qu'on sache qui elle est.

– La femme aux patins ? » Jen extirpa de sa poche arrière quatre tirages : des photos de Stock-car Man, du type chauve, de Space

Girl et de Miss Black-out, chacun portant des lunettes de soleil pour se protéger des flashs Dup. «Elles n'étaient pas difficiles à prendre, vu le chaos ambiant.

— Je suis content que tu l'aies fait.» Même avec une photo floue, ça sautait aux yeux. «C'est elle qu'il faut trouver.

— Pourquoi elle?

— C'est mon boulot d'identifier d'où vient le cool, Jen. Je vois qui sont les meneurs et les suiveurs, là où la tendance démarre et comment elle évolue. La première fois que je t'ai vue, j'ai *su* que tes lacets, c'était ton innovation.»

Jen baissa les yeux sur ses chaussures et haussa les épaules, admettant que c'était vrai.

Je regardai à nouveau la photo. Cette femme habitait en fait le monde fantasmatique du client, un lieu où les baskets pouvaient voler, où le mouvement était comme magnétique et où elle incarnait le pur charisme sur patins à roulettes.

«Fais-moi confiance, dis-je. Ici, on n'est pas à la recherche d'un chasseur de cool solitaire et insensé, mais d'un mouvement. Et c'est elle l'Innovateur.»

Chapitre 23

Le monde est petit. Les scientifiques l'ont prouvé.

En 1967, un chercheur du nom de Stanley Milgram demanda à plusieurs centaines de personnes au Kansas de tenter de faire parvenir des colis à un petit nombre de « cibles », inconnues d'elles, vivant à Boston. À cette fin, les habitants du Kansas envoyaient un colis à une personne qu'ils connaissaient personnellement, qui à son tour l'adressait à une autre personne qu'*elle* connaissait personnellement, jusqu'à ce qu'une chaîne d'amitié relie le Kansas et Boston.

Les colis arrivèrent aux « cibles » bien plus rapidement que prévu. Les maillons entre l'envoyeur et la cible furent en moyenne au nombre de 5,6, immortalisés comme les « six degrés de séparation ». (Soit six degrés entre ma mère et son acteur favori.) Dans notre petit monde (petit pays, surtout), vous êtes à environ six poignées de main du parfait amour que vous n'avez pas encore rencontré, de la star que vous méprisez le plus et de la personne qui a inventé la phrase : «Passe à ton voisin.»

Donc, si le monde est si petit, le monde de la chasse au cool est *minuscule*. En supposant que les révélations paka-paka de Jen et moi étaient justes et que l'anticlient était un groupe de chasseurs de cool, je doutais alors qu'il y ait plus que quelques poignées de main entre nous et la Miss Black-out.

La ruse était de trouver les bonnes mains à serrer.

Mais il nous fallait d'abord aller au pressing.

Nous déposâmes la chemise, le pantalon et le nœud papillon afin qu'ils soient impeccables pour leur retour en boutique et mon remboursement amputé. J'observai l'homme alors qu'il coupait les étiquettes.

«Vous mettre ces vêtements ?

– Oui.»

Clip. «Avec étiquettes ?

– Oui.»

Clip, clip. «Vous devoir couper étiquettes.

– Oui.»

Clip, clip, clip, pause. «Vos mains violettes ?

– Oui.

– Vous pouvez réparer cette veste ?» Jen interrompit notre captivante conversation, ce qui eut pour effet de provoquer une pause encore plus longue, pleine de hochements de tête et d'expressions tristes. Je saisis cette occasion pour ramasser les étiquettes de mes mains violettes et les enfouir dans mes poches, en sûreté.

« Non. Pas pouvoir réparer. »

Elle la remit dans son sac en la pliant avec soin pour des raisons purement symboliques : le respect dû aux morts.

« Ne t'inquiète pas, Hunter, je vais voir ce que je peux faire. »

L'homme regarda Jen et secoua la tête à nouveau.

Central Park, comme le reste de New York, relève d'un système de quadrillage.

Les parcs d'autres grandes villes varient en forme — des blobs organiques, des triangles, des formes tortueuses qui suivent les rivières. Mais Central Park est un rectangle précis, enraciné dans l'île asymétrique de Manhattan comme une étiquette collée sur un morceau de viande sous cellophane.

Au bas de l'étiquette, en tout petits caractères, on découvre une tribu très cool qui se retrouve tous les samedis après-midi. Ils patinent en musique, faisant des cercles autour du DJ qui passe du disco ancestral sans la moindre ironie.

Techniquement parlant, ils ne font même pas partie de la pyramide cool, parce que ce sont des Traînards, figés dans l'espace-temps, comme les gars qui portent des T-shirts Kiss. Mais bien plus cool. Ils datent de l'époque de la législation pour handicapés, quand le gouvernement a imposé des rampes pour chaises roulantes à chaque croisement de rue et devant chaque immeuble à travers le pays, créant sans le savoir le culte de la glisse moderne avec skate-boards, rollers et scooters.

C'était il y a bien longtemps. Et ils sont maintenant si dépassés, si périmés qu'ils en deviennent ultrapointus.

Et tous les samedis, Hiro Wakata, Seigneur des Deux-Roues, débarque là pour perfectionner son double salto arrière et s'adonner à une chasse au cool qui déménage.

D'habitude, je gardais mes distances face à ce rituel, ne voulant pas empiéter sur le territoire d'un collègue chasseur ; cela faisait donc des mois que je n'étais pas passé (pour regarder – me fixer des roues aux pieds ne me rend pas plus mais moins cool). Cependant, pour m'aider dans ma quête de l'anticlient, Hiro s'imposait comme la première poignée de main, la plus évidente. À plus de vingt-cinq ans, il était plutôt vieux pour un chasseur de cool, mais il connaissait tout le monde et roulait depuis qu'il savait marcher.

Il fut facile à repérer parmi les cinquante et quelques patineurs en orbite autour du DJ. Il portait un sweat-shirt à capuche blanc sans manches et passait à toute vitesse en rasant les spectateurs présents en nombre. Il s'était fait un nom alors qu'il était gamin pour son style en *half pipe*[1], le patin était donc pour lui une deuxième langue, mais il la maîtrisait parfaitement. (Il parlait aussi couramment la moto, le microscooter électrique et le mountainboard.)

Je lui fis un signe de la main lors de son passage éclair et, au tour suivant, Hiro sortit du cercle, ses roues crachant des graviers alors qu'il traversait le ring extérieur d'asphalte non déblayé. Il s'arrêta devant nous en parallèle comme un joueur de hockey.

«Yo, Hunter, nouvelle tête?

– Ouais. Je me camoufle ces derniers temps.

– Cool. Bien, les mains, aussi.» Il pivota sur lui-même pour faire face à Jen au lieu de simplement tourner la tête de quelques degrés; la vie sur roulettes l'avait rendu accro aux rotations. «Jen, c'est ça? J'ai bien aimé ce que tu as dit à la réunion l'autre jour. Très cool.»

Je la vis réprimer une envie de lever les yeux au ciel. Pour un groupe d'Initiateurs, notre

1. Rampe en forme de U utilisée par les skaters. (*N.d.T.*)

réaction vis-à-vis d'elle était ridiculement prévisible, j'imagine. « Merci.

– Mandy était verte. Hé ! Tu roules ?

– Pas assez bien pour me joindre à vous, les gars », dit Jen. Le couple qui passait devant nous – la fille roulait en arrière, le mec en avant – fit un 360 en passant l'un sous l'autre, ne se lâchant pas une fois la main. Jen et moi sifflâmes à l'unisson.

« Te fais pas de bile, viens quand tu veux. » Hiro exécuta un 350 mortel et se retrouva à nouveau face à moi. « Alors, quoi de neuf ?

– Je me demandais si tu ne pouvais pas nous aider à retrouver quelqu'un. Elle fait du roller. »

Il fit un long tour au ralenti, tel un roi qui parcourt son domaine. « Vous êtes venus au bon endroit. »

Jen sortit la photo. « C'est elle. »

Il la regarda un instant et hocha la tête, l'air soudain plus sombre.

« Waouh, elle n'a pas beaucoup changé. Je ne l'ai pas vue depuis des lustres. Pas depuis la scission.

– La scission ?

– Ouais, il y a, genre, dix ans. J'étais juste un gamin à l'époque, du temps où les flics nous emmerdaient tout le temps. » Il fit un geste vers le DJ bien calé entre quatre murs d'enceintes, deux tourne-disques et un générateur crachotant. «La boîte à rythmes de Mo était posée sur un cageot à cet endroit précis, avec Mo prête à se tailler quand les flics faisaient une descente. C'était une authentique, elle a lancé ce club à l'âge de treize ans.»

Je pris une profonde et jouissive inspiration à l'idée d'avoir eu raison — c'était bien une Innovatrice.

«Elle s'appelle Mo? demanda Jen. C'est pas le diminutif de "Mortelle", par hasard?»

Hiro roulait d'un bord à l'autre pour s'amuser. «Pas du tout. Diminutif de Mwadi Mobrasic.»

Le nom ne m'était pas familier. «Donc elle ne traîne plus dans le coin, si j'ai bien compris?

— Comme je le disais, elle est partie quand le noyau du groupe a signé avec...» Il nomma une certaine boîte de patins associée à la révolution en ligne.

«Elle ne voulait être liée à aucune grosse entreprise», dit Jen.

Hiro haussa les épaules. «Elle n'a jamais parlé d'être une vendue. Putain, j'étais complètement logotomisé pendant ma période *half pipe*, mais ça ne l'a jamais dérangée. La rupture n'avait rien à voir avec le sponsoring, mais avec le fait de passer en ligne.» Il leva un pied, exhibant les quatre roues linéaires de son patin. «Mwadi n'en avait que pour les rollers classiques, ceux que les authentiques portaient. On a tenu bon jusqu'au début des années 1990, alors que tout le monde avait déjà changé. Deux par deux ou crève, tu vois ? »

Jen écarquilla les yeux. « Tu veux dire que tout ce foin n'est qu'une histoire de *type de patins* ? » lança-t-elle.

Hiro glissa à reculons, en ouvrant les bras. « Et c'est quoi le foin ?

– On n'en est pas sûrs, répondis-je de ma voix la plus calme. Peut-être rien du tout. Alors tu ne l'as pas vue dernièrement. Tu ne sais pas où on peut la trouver ? »

Il secoua la tête. « Non, c'est triste. Superbe patineuse, mais elle ne supportait pas d'être en ligne. Et encore, il ne s'agissait même pas d'un mégacontrat, ils voulaient juste nous donner des rollers gratos et une meilleure sono. Et faire une ou deux photos.

– Tu as parlé de scission, dit Jen. Donc à part Mo, d'autres personnes sont parties ?

– Ouais, quelques-unes. Mais la plupart sont revenues en roulant. Le contrat ne durait qu'un été. Mais pas Mwadi. Elle a, genre… disparu.

– Aucun de ces types-là ? » Elle lui tendit les autres photos.

« Non, aucun de ces types n'a fait partie de la scission. Mais lui je le connais… » Il désigna Stock-car Man. « Ça, c'est Futura. Futura Garamond.

– Il traîne dans le coin ?

– Jamais. Mais je le connais de mon boulot avec *City Blades*. C'est un designer.

– Il crée des rollers ? »

Hiro secoua la tête. « Non, man. Des magazines. »

Chapitre 24

Nous retournâmes chez moi pour faire des recherches. Je sentais qu'on se rapprochait de l'anticlient, les degrés de séparation tombaient comme les lancers francs de Tony Parker.

Nous attendîmes la ligne 6 sur un quai pratiquement désert et les quelques promeneurs du samedi ayant fait des emplettes portaient tellement de sacs qu'ils semblaient vaguement dérangés. Une chose concernant les dingues à New York : à cause d'eux, porter plein de trucs est devenu très mal vu. Maintenant, dès que j'ai plus qu'un sac à dos, je me sens bon pour l'asile.

« Alors ce type fait des magazines, dit Jen. Tu crois qu'il y a un lien avec *Hoi Aristoi* ?

– Peut-être. J'ai toujours mon exemplaire gratuit à la maison. On pourra vérifier. Mais j'ai du mal à croire que le magazine tout entier puisse être bidon.

– Ouais, là, ça devient de la parano, admit-elle. Et c'est ce qu'ils veulent, évidemment.

– Ils veulent quoi ?

– Qu'on se mette à douter de tout : la fête était-elle réelle ? Et ce produit-ci ? Ce groupe social-là ? Le cool lui-même est-il bien réel ? »

J'acquiesçai. « Ma mère pose souvent cette question.

– N'est-ce pas le cas de tout le monde ? »

Une rame arriva sur le quai, nous montâmes et nous retrouvâmes dans un wagon à annonceur unique. La voiture entière était placardée de pubs pour une certaine marque de montres dont le nom rime avec le verbe « regarder » en anglais. Jen frissonna.

« Qu'est-ce qui ne va pas ?

– Je n'oublierai jamais le matin où je suis montée pour la première fois dans ce wagon, dit-elle. J'ai consulté ma montre, puis toutes les autres montres des pubs. Et elles indiquaient toutes la même heure que la mienne. »

Je regardai autour de moi. Les montres indiquaient toutes dix heures dix. « Ouais. Les types des séances photos mettent les aiguilles dans ce sens pour que ça ressemble à un visage souriant.

– Je sais, mais c'est comme si le temps s'était figé ici ce matin-là. »

Je ris. « Même les pubs pour montres tombent juste deux fois par jour, j'imagine.

— Je ne m'en suis jamais remise. »

J'observai Jen un moment qui scannait les montres souriantes au-dessus de nous, comme un petit mammifère guettant les oiseaux prédateurs.

« Tu es facilement court-circuitée, Jen.

— C'est clair. Mais serre-moi dans tes bras. »

J'étais sur le point de lui dire qu'on pouvait changer de wagon, mais la serrer était bien mieux.

Nous trouvâmes l'appartement de mes parents vide, mon père était parti pour la journée à un colloque sur l'hantavirus et ma mère à son cours de karaté. Je remerciai le ciel de ne pas avoir de grande sœur, entraînai Jen dans ma chambre et je vis son regard s'illuminer en découvrant mes étagères remplies du fruit de mes chasses au cool : des baskets vintage du client, montantes et en daim, des lecteurs MP3 de la taille de boîtes d'allumettes, des vestiges de ce que fut la tendance tels que des pin's, des yoyos, des chouchous, des scoubidous et autres bracelets en caoutchouc noir. Puis je me rendis compte d'une chose terrible…

J'avais oublié de cacher mes manchons de bouteille.

« Qu'est-ce que c'est que ces trucs ? » demanda Jen.

J'ai une confession à faire : j'ai été un Innovateur il fut un temps, mais une fois seulement.

Vous n'avez probablement jamais entendu parler des manchons de bouteille. Ils sont faits de mousse plastique, proches cousins des caches pour garder fraîches les canettes de bière. Les manchons se glissent sur les bouteilles d'eau. Ils portent le nom et le numéro d'un joueur et sont percés de deux petits trous pour les bras, comme le maillot miniature d'une équipe. Lors des matches de basket, ils sont distribués gratuitement aux cinq mille premiers acquéreurs de billets, et sponsorisés par le zoo du Bronx ou une barre chocolatée ou je ne sais quoi.

Mon innovation était la suivante : au lieu d'enfiler mon manchon sur une bouteille d'eau, je le mettais au poignet. Je glissais ma main dans le manchon, sortais mon pouce et mon petit doigt par les trous latéraux et les trois autres doigts dépassaient au-dessus. Un croisement entre un plâtre pour poignet et une marionnette de joueur de basket. J'ai porté ça il y a quelques années à un match des Knicks et ça a fait le tour du Madison Square Garden plus vite que la maladie du légionnaire sur un bateau de croisière. C'est descendu dans la rue le lendemain même et c'est resté cool pour les dix-douze ans pendant trois bonnes semaines.

Je ne l'ai jamais revu depuis.

Ce n'est pas grand-chose, mais c'est de moi.

Jen resta plantée à regarder les rangées de bouteilles d'eau vides arborant leur manchon avec la fierté pitoyable de petits chiens en chandail, le tout arrangé par équipe et position des joueurs. Il ne manquait plus que les petits ballons de basket pour former leur propre petite ligue.

« Euh, ce sont des manchons de bouteille. Je les... collectionne.

— Mais d'où ils sortent ? C'est une sorte de plan marketing de psychopathe ?

— En fait, j'en ai acheté pas mal sur e-Bay. Tu ne les trouves pas dans les boutiques de basket — pour chacun des joueurs, il faut dénicher la personne qui se trouvait au bon match. Ce n'est pas une mince affaire, je t'assure, gloussai-je.

— Ça t'arrive de *jouer*, Hunter ?

— Eh bien, pas depuis le collège où je me suis fait virer de l'équipe. Le déménagement du Minnesota a révélé certaines failles dans mon jeu. Comme mon incapacité à marquer ou à jouer en défense. Ces manchons sont tout ce qui reste de mes rêves de joueur de basket. » Je ris en me dévalorisant une fois encore, comme si mon autodépréciation n'avait pas fait assez de dégâts.

« Oh », fit Jen en se rapprochant pour jeter un coup d'œil dubitatif à une bouteille d'eau déguisée en Latrell Sprewell. (Les Knicks contre les Lakers, saison 2001-2002, sponsorisé par une certaine marque d'édulcorant en sachet rose et qui valait aux enchères à l'heure actuelle environ trente-six dollars. Peut-être plus.)

« C'est un peu comme ces figurines à collectionner », dit-elle, citant une certaine série de films de science-fiction qui avait duré quatre films de trop.

J'allumai mon ordinateur portable, la mort dans l'âme.

Chercher sur Google le nom de Mwadi Mobrasic ne donna rien, que dalle. Pas le moindre indice, même hors de propos, ou un « Essayer avec cette orthographe... ? » Rien.

C'est très perturbant quand Google ne marche pas. C'est comme lorsque ma tante Macy arrête de parler, il faut s'attendre à ce qu'une merde nous tombe sur le coin de la figure.

Futura Garamond, quant à lui, se trouvait aux quatre coins du Web.

La première recherche nous livra seulement

un tas d'entrées pourries sur les archives de polices typographiques. Il s'avérait que *Futura* et *Garamond* en étaient deux grands classiques. En ajoutant quelques termes (*graphiste, City Blades*), nous trouvâmes Futura Garamond l'être humain et apprîmes qu'à ses débuts dans le graphisme, il avait créé des typos pour des magazines de surf et de skate, un méli-mélo d'alphabets avec des noms tels que MamiFer Gothique et Mort-aux-livres Gras. De créateur de polices il était passé à maquettiste de pochettes de CD, mettant en pages les livrets, puis il avait relooké un ou deux des plus importants magazines de musique avant de rejoindre enfin l'inévitable start-up de Web-designers destinée à imploser au lendemain du nouveau millénaire.

« Tu as repéré la tendance ? dit Jen alors que je me penchais pour regarder par-dessus son épaule, ma lecture ralentie par la nouvelle senteur de framboise qui émanait de ses cheveux.

– Euh, ouais, ouais. »

Futura avait été renvoyé de chacun de ses boulots, la plupart du temps sous le motif d'« illisibilité ». Son signe distinctif, c'étaient des concepts radicaux comme...

Une mise en pages sur deux colon-
mais plutôt à l'horizontale, le résultat
qui défie la logique des cinq cents der-
texte, déclenchant de terribles maux
par les flashes rouges et bleus sur un
d'une crise de paka-paka. Cette petite
avait commis dans le domaine de la
trait le mieux son désir de court-
qui tombaient par hasard sur ses

nes que l'on ne lit pas à la verticale
étant un pavé de mots indéterminés
nières années de mise en pages de
de tête proches des réactions générées
écran, un équivalent typographique
ruse n'était pas le seul outrage qu'il
lisibilité, mais c'était celui qui illus-
circuiter les cerveaux de ceux
travaux.

«Aïe, grommelai-je après avoir parcouru les fichiers PDF de quelques-uns des magazines mis en pages par Garamond.

— J'aime assez, dit Jen.

— Mais ça fait mal!

— Ouais, mais pour de bonnes raisons. Je comprends pourquoi les gens l'embauchent à chaque fois.»

C'est vrai, Futura ne se retrouvait jamais sur le carreau. Il avait maîtrisé l'art de se faire renvoyer avec panache, attirant toujours le regard de son futur employeur dans la foulée. Les anciens patrons passaient toujours pour des ringards d'avoir tenté de brider ses talents et les nouveaux pouvaient compter sur des images encore plus radicales, jusqu'à ce qu'ils soient eux aussi forcés de renvoyer Futura, habituellement lorsque leur magazine était devenu illisible.

«Ce type a une longue liste d'ennemis, nota Jen.

– Ouais, plein de raisons de se venger de... enfin, quelle que soit la cible de l'anticlient.

– Je ne vois toujours pas le lien avec *Hoi Aristoi* », dit-elle.

Je pris le magazine sur ma table de chevet et inspectai les premières pages.

« Eh bien, le nom de Futura n'apparaît nulle part.

– À qui appartient *Hoi Aristoi* ? »

Je citai le nom d'une certaine méga-entreprise connue pour sa mainmise implacable sur le monde des médias, comprenant une kyrielle de journaux et une certaine fausse chaîne d'information.

« Ouah, fit Jen en clignant des yeux après avoir à nouveau lancé une recherche rapide sur Google. Futura a été renvoyé par au moins quatre sociétés appartenant à ce groupe.

– Nous avons le mobile.

– Et mate un peu : il y a quelques années, il a décidé de quitter la voie des "bons pour renvoi" afin de "poursuivre ses propres intérêts". Je me demande bien ce que ceux-ci recouvrent. »

Je regardai par-dessus l'épaule de Jen et lus comment la carrière de Futura Garamond s'était finalement stabilisée dans une petite boîte de design du nom de Battage Mobile dont il était l'unique propriétaire et patron. Le licencié était devenu le licencieur.

« Hé, vise un peu l'adresse, dit Jen.

– Parfait. »

Les bureaux de Battage Mobile se trouvaient à Tribeca, à trois pâtés de maisons de l'immeuble abandonné où Mandy avait disparu.

J'aperçus la lueur du sourire de Jen dans le reflet de l'écran.

« Le mobile, dit-elle, ainsi que l'occasion. »

Chapitre 25

« C'est le quartier des *crèmes brûlées*[1].

– Pardon ?

– Ma sœur définit les quartiers par le dessert qu'on y sert le plus fréquemment, expliqua Jen. On est à l'ouest de la glace au thé vert et au sud du tiramisu. »

C'était vrai. Le premier restaurant que nous croisâmes était un petit bistrot coincé entre une galerie d'art et un garage de réparations minute. En jetant un coup d'œil au menu, nous découvrîmes qu'ils servaient effectivement des crèmes brûlées, c'est-à-dire de petits ramequins de crème vanillée dont la surface est passée au chalumeau pour qu'elle croustille. La pyromanie est souvent l'alliée de l'innovation.

« Comment va ta sœur ?

– Moins fâchée depuis qu'elle a inspecté la

---

1. En français dans le texte. *(N.d.T.)*

255

robe empruntée et constaté qu'il n'y avait ni accroc, ni déchirure. »

Je dus tressaillir.

« Oh, désolée, Hunter, j'avais oublié ta veste. » Elle m'arrêta. « Écoute, étant donné que toute cette histoire de déguisement était mon idée, je devrais partager les frais de remboursement du désastre.

— Tu n'es vraiment pas obligée de faire ça, Jen.

— Tu ne peux pas m'en empêcher. »

Je ris. « En fait, je peux. Qu'est-ce que tu vas faire, me ligoter et payer ma facture de carte de crédit ?

— La moitié seulement.

— Ça revient quand même à cinq cents dollars. » Je secouai la tête. « Oublie. Je paierai juste le minimum jusqu'à ce que je dégotte quelque chose. Ça motive encore plus pour retrouver Mandy. J'ai entendu dire que lorsqu'une personne lui vient en aide, elle lui donne davantage de boulot.

— Bon, soupira Jen. C'est pas comme si j'avais l'argent, de toute façon. Pas après avoir réglé les notes du câble et du téléphone d'Emily. Mais je verrai ce que je peux faire avec cette veste.

— Je pense qu'elle est HS.

— Non, je veux dire en faire quelque chose d'*intéressant*. Que tu t'en sortes avec une veste au moins, une Jen originale. »

Je souris et lui pris la main. «Je m'en sors déjà mille fois mieux.»

Elle me rendit mon sourire mais se dégagea, me forçant à aller de l'avant une fois de plus. Lorsque nous passâmes, à quelques pas de là, dans l'ombre d'un grand échafaudage, elle fit halte et m'embrassa dans la soudaine obscurité.

Il faisait frais à l'abri de l'échafaudage, les rues du quartier des crèmes brûlées étaient presque vides en ce samedi après-midi d'été. Un taxi fila dans un grondement sur quelques vieux pavés mis à nu; ils avaient beau être recouverts régulièrement, les voitures usaient l'asphalte qui laissait alors toujours apparaître les vieilles pierres comme des tortues piquées de curiosité qui émergent des eaux noires.

«La Révolution française», dis-je. J'étais hors d'haleine.

Jen se blottit contre moi. «Continue.»

Je souris – elle commençait à s'habituer à mes errances cérébrales – et désignai la surface bosselée. «Dans le temps, tous les *hoi polloi* du monde entier en ont eu un jour ras le bol, mais la révolution n'a réussi qu'en France, parce que les pavés parisiens étaient mal fixés. Une masse enragée a pu se dresser contre les soldats du roi en démantelant simplement la rue. Imagine une centaine de paysans te les balançant à la tête.

— Aïe.

— Exactement, dis-je. Ton uniforme de parade, ton fusil à baïonnette, tout ça ne vaut pas grand-chose face à une averse de pierres de la taille d'un poing. Mais dans les villes où les pavés étaient mieux fixés, la masse enragée ne pouvait rien faire. Pas de révolution. »

Jen réfléchit un instant, puis fit le Signe aux pavés. « En fait, les *hoi polloi* sont parvenus à éradiquer la noblesse à cause d'un problème de ciment, une faille juste sous leurs pieds.

— Ouais, fis-je. Il a suffi qu'un Innovateur s'exclame : "Yo, prenons ces pavés et balançons-les." Et ce fut la fin de toute une société. »

Nous quittâmes l'ombre et je jetai un coup d'œil vers le vieux bâtiment. L'échafaudage accroché à la façade courait jusqu'en haut, six étages de tuyaux métalliques et de planches de bois. Une pub défraîchie vieille de plusieurs décennies était encore visible et le relief des briques apparaissait sous la peinture écaillée. Je pouvais voir l'endroit même où un autre immeuble s'était jadis dressé à ses côtés, mais il ne restait à présent plus rien qu'un changement de teinte dans les briques.

« Hunter, tu ne te demandes jamais s'il n'y a pas comme un problème de ciment de nos jours ? Genre, si quelqu'un repérait le truc à jeter et sur qui le jeter, tout s'effondrerait d'un coup.

– Si, tout le temps.

– Moi aussi. » Nous traversions une parcelle usée d'Hudson Street et Jen balança l'une de ses baskets contre un pavé. Il était solidement soudé au goudron cramé par le soleil et ne bougea pas d'un pouce. « C'est donc ça la mission de l'anticlient, n'est-ce pas ? Décoller les choses ? Ils ont peut-être découvert ce qu'il fallait jeter.

– Peut-être. » Je me protégeai les yeux de la main et louchai vers le panneau de rue suivant, puis vers les numéros.

Battage Mobile se trouvait à moins d'un pâté de maisons de là, dans un immense et vieux bâtiment d'acier. « Mais apparemment, ils seraient plutôt en train de jeter tout ce qu'ils peuvent. »

« Fermé le samedi », dis-je, constatant ce qui aurait dû être évident avant même de nous embarquer à pied jusqu'ici. Personne n'avait répondu à l'interphone. Il s'agissait de bureaux, et même si l'esthétique des typos de Futura Garamond était dingue, il ne travaillait pas les samedis d'été pour autant.

« Parfait », fit Jen en tendant à nouveau le bras pour tripoter les boutons. Ce geste me fit un nœud à l'estomac.

Dans l'interphone : « Ouais ? »

Jen, de sa fausse voix bourrue : « Livraison. »

Moi, marmonnant : «Non, pas ça.»
De l'interphone : *buzz*.

Battage Mobile se trouvait au dixième étage ;
l'escalier montait autour d'un ascenseur à l'ancienne, verrouillé pour le week-end au rez-de-
chaussée. Jen démarra avec presque un étage
d'avance – je voyais l'éclat de ses lacets rouges
à travers les grilles d'acier qui clôturaient la
cage de l'ascenseur. Elle grimpait les marches
comme quelqu'un qui a l'habitude. (L'immeuble de mes parents dépassait la limite critique
des six étages, j'étais donc habitué à prendre
l'ascenseur.)
«Attends-moi!»
Elle n'en fit rien.
Lorsque j'arrivai au dixième, Jen avait déjà
trouvé la porte de Battage Mobile, située au
bout d'un long couloir. «Fermée.
– Quelle surprise! Qu'est-ce qu'on fait maintenant, on la défonce?
– Trop solide. Mais mate un peu ça.»
Elle m'attira dans un coin, vers une rangée
de fenêtres qui donnaient sur une bouche d'aération. Jadis, les loyers de New York étaient cal-
culés en fonction du nombre de fenêtres d'un
lieu. Les propriétaires inventèrent alors des
immeubles «creux» en leur centre, créant ainsi
cette particularité toute new-yorkaise : des
fenêtres qui donnent sur les fenêtres du voisin

à un mètre de là. Mandy se plaignait souvent de Muffin, son chat mangeur de cafards qui, les jours d'été où les fenêtres restaient ouvertes, bondissait dans le vide jusque chez les voisins, probablement pour voir si leurs cafards avaient plus de goût ou moins peur des chats.

Jen désigna quelque chose à travers l'une des fenêtres. De l'autre côté de la bouche d'aération se trouvait une autre fenêtre, perpendiculaire à celle derrière laquelle nous nous trouvions. J'apercevais quelques bureaux ainsi que des ordinateurs éteints.

« Battage Mobile », dit-elle, et elle débloqua la fenêtre.

« Jen… »

La fenêtre s'ouvrit et elle l'enjamba ; elle donnait sur un vide de trente mètres de profondeur.

« Jen ! »

Elle me tendit la main. « Tiens-moi.

— Pas question !

— Tu préfères que je me débrouille toute seule ?

— Euh, non. » Je me rendis compte que ce n'était pas une vaine menace : elle était prête à se pencher en avant pour essayer de pénétrer par l'autre fenêtre, que je l'aide ou non. J'eus un élan de sympathie pour Emily. Si c'était là la Jen de dix-sept ans, qu'en avait-il été de la Jen de dix ans ?

«Imagine. C'est à un mètre à peine. S'il n'y avait pas ce trou, tu n'hésiterais pas une seconde.

— Oui, s'il n'était pas question de mort certaine, je n'hésiterais pas une seconde.»

Elle regarda en bas. «Plutôt certaine, oui. Et c'est pour ça que tu vas me tenir la main.» Elle tendit à nouveau le bras en faisant de grands gestes d'impatience.

Je soupirai et lui pris le poignet à deux mains.

«Aïe. Tu me serres trop.

— T'en mourras pas.»

Jen leva les yeux au ciel, fit basculer son poids et se pencha dans le vide. De son autre main, elle atteignit avec facilité la fenêtre de Battage Mobile. Son poignet se tordit dans ma main alors qu'elle remontait la fenêtre à guillotine de quelques centimètres, jusqu'à ce qu'elle se coince.

«Bouge pas.» Elle rétablit son équilibre sur le rebord de la fenêtre et se pencha encore plus en avant. Je me penchai en arrière, comme si Jen était la corde dans un jeu de lutte, calant mes pieds contre le mur juste en dessous d'elle. Elle parvint ainsi à entrouvrir la fenêtre d'en face de quelques centimètres de plus.

«OK, tu peux lâcher maintenant.

— Pourquoi?

— Pour que je puisse passer en face, idiot.»

Je pensai un instant refuser et rester là, debout, à tenir son poignet jusqu'à ce que mes mains ne tiennent plus, pour la garder du côté sensé de la bouche d'aération. Mais elle m'entraînerait certainement avec elle. Et couper la circulation du sang de l'une de ses mains n'était pas vraiment la réponse à une question de mort certaine.

« OK, je lâche. » Je me redressai, laissant aller la main de Jen petit à petit, et elle secoua son poignet.

« Aïe. Mais, merci bien.

– Fais juste attention. »

Elle sourit encore une fois et balança l'autre jambe vers l'extérieur. « Sans déc. »

Elle s'agrippa à la fenêtre d'une main blanche et tendue et laissa lentement glisser son poids du rebord, puis elle planta une basket noire dans le coin de la bouche d'aération. Elle tendit alors son autre main, s'accrocha au rebord d'en face et s'y hissa.

Au moment où son poids fut également partagé entre les deux fenêtres, je sentis mon estomac se retourner sens dessus dessous, puis se tordre une fois encore. Je voulus attraper sa main à nouveau, mais je savais que mes mains molles-moites étaient la dernière chose dont elle avait besoin à cet instant précis. Puis elle passa de l'autre côté, les deux mains sur le rebord d'en face, ses pieds cherchant à tâtons sur le mur extérieur pour grimper par la fenêtre ouverte.

Les lacets rouges disparurent à l'intérieur dans un bruit sourd…

«Jen?»

Je me penchai à l'extérieur en évitant de regarder l'abysse vertigineux.

Son visage apparut dans l'embrasure de la fenêtre, tout sourire.

«Waouh, ça c'était cool!»

Je respirai profondément, l'adrénaline pulsait toujours en moi. Maintenant que Jen était en sécurité de l'autre côté de la bouche d'aération, je m'aperçus que cela me démangeait de faire de même. C'est marrant, comme ça fonctionne : une minute auparavant, l'idée me semblait complètement dingue, mais après avoir vu un Innovateur à l'œuvre, je mourais d'envie de suivre.

Je me souvins de mon ingéniosité dans la salle des météorites, de ma majestueuse évasion sous l'averse des flashs Dup. Je n'avais plus de frange, j'étais prêt à braver le danger.

Je passai une jambe par la fenêtre. La bouche d'aération semblait m'appeler, m'attirer pour que je la franchisse.

«Euh, Hunter…

— Non, laisse, je veux venir moi aussi.

— Bien sûr, mais…

— Je peux y arriver!»

Elle hocha la tête. «J'en suis persuadée, mais je pourrais tout simplement *t'ouvrir* la porte, tu sais.»

Je restai figé sur place, mon poids en équilibre sur le rebord de la fenêtre, une main agrippée à mort à l'embrasure, l'autre tendant vers le néant...

«Ouais, je suppose que c'est une possibilité.»

Je fis demi-tour et avançai à pas de loup dans le couloir, vers l'entrée bien moins risquée de Battage Mobile. La porte blindée vibra à chaque tour de verrou, puis elle s'ouvrit.

«Tu ne vas pas en croire tes yeux», dit Jen.

Chapitre 26

Les murs en étaient couverts. Des pages et des pages.

Mais ce n'étaient pas les mises en pages habituelles de Futura Garamond. Pour une fois, il s'était maîtrisé, imitant à la perfection le style pseudo-branché mais sans danger d'un certain magazine pour jeunes et riches rentiers.

« *Hoi Aristoi*, dit Jen.

– Si on veut. » Je m'approchai. Les photos de la maquette provenaient toutes de la fête, pingouins et pingouinettes ivres, le regard halluciné, l'air presque animal dans leurs querelles insignifiantes et leurs crises de jalousie, gardant la pose pour le prestige. Le langage des corps se lisait aussi clairement qu'une enseigne au néon. Les robes du soir chiffonnées et les nœuds papillons de travers aussi parlaient d'eux-mêmes. À mesure que les photos avançaient, le mécanisme des privilèges et du pouvoir se démantelait sous vos yeux – aussi pitoyable qu'une ceinture de smoking éclaboussée de Noble Sauvage. Du coup, le caribou empaillé que l'on apercevait parfois dans le fond semblait intelligent et sain d'esprit.

Des milliers de tirages photo étaient empilés sur un banc le long du mur, le butin de cinq cents appareils, indécentes richesses. D'après la théorie de Jen, chacune des photos prises avec les appareils offerts avait été captée à distance par l'anticlient.

« Futura a dû revenir ici après la soirée pour travailler toute la nuit, dis-je en fixant avec nervosité la porte d'entrée du bureau. Tu crois qu'il est rentré chez lui pour dormir ou qu'il est juste sorti prendre un café ?

— Il va probablement revenir bientôt, rétorqua Jen. Ces pages devaient déjà être montées, il ne manquait plus que les photos. Ce qui signifie qu'ils veulent que ça bouge, et vite.

— OK, lançai-je en me dirigeant vers la porte. En parlant de bouger…

— Mais est-ce que ça va devenir un faux numéro de *Hoi Aristoi* ou un vrai ? »

Je haussai les épaules. « Les gens décideront eux-mêmes, j'imagine.

— La couverture doit se trouver par là-bas. »

Elle longea le mur en faisant le décompte des pages. Découragé de ne pas nous voir quitter les lieux rapidement, je lui emboîtai le pas. C'était un vrai boulot de pro : Futura Garamond n'avait pas opté pour une parodie ; il avait créé une réplique parfaite. Il avait même ajouté de vraies pubs prises dans le premier numéro. Les pubs étaient bien sûr indispensables au magazine.

À l'autre bout du bureau, nous découvrîmes la une et la couverture. On pouvait lire les titres suivants : « Exclusif soirée de lancement ! » « Spécial abonnés – Numéro unique ! »

« Numéro zéro, dit Jen en désignant le coin en haut à droite de la couverture.

— C'est ce qu'ils appellent d'habitude le numéro d'essai des nouveaux magazines. Mais le prototype d'*Hoi Aristoi* a déjà été testé. Le numéro gratuit distribué dans nos pochettes-cadeaux était le numéro un.

— Alors ce numéro-ci est faux.

— Oui, mais il paraît suffisamment vrai, dis-je. Hormis les photos grotesques, il pourrait tromper son monde.

— Eh bien, il semblerait que tu avais raison – ce n'est pas du chantage. C'est bien plus étrange que ça. Mais de *quoi* s'agit-il exactement ?

— Bonne question. »

Nous parcourûmes la pièce du regard. Le soleil de fin de journée à travers les vitres inondait le loft d'une lumière chaude, dévoilant l'inévitable couche de poussière sur les écrans noirs des ordinateurs. Des imprimantes haut

débit chargées de ramettes de papier attendaient le coup d'envoi et un tas de disques durs
clignotaient dans un demi-sommeil. Quelques
ordinateurs portables traînaient autour d'une
pile de bases sans fil. Ils avaient pour sûr récupéré les photos de la soirée de lancement des
cartes Wi-Fi des appareils Dup.

Je trouvai quelques vieilles copies de magazines créés par Futura Garamond, une maquette
de bouteille Dup et quelques croquis pour la
marque de rhum Noble Sauvage. C'était donc
faux, ça aussi. Je me demandai quel était le
degré d'alcool de la boisson et s'il n'y avait pas
quelque chose en plus. Rien n'indiquait que
Battage Mobile traitait avec de vrais clients.
Garamond travaillait pour l'anticlient à plein
temps.

«Mate un peu ça», dit Jen. Elle tenait un
épais imprimé dépliant. «Des noms, des adresses. Des numéros de téléphone aussi.

– Un mailing. Je me demande si c'est *le*
mailing.»

Jen leva la tête et me toisa. «Tu veux dire
tous les abonnés à *Hoi Aristoi* ?»

J'acquiesçai. «Vois si tu trouves Hillary Winston-Smith. Elle est sous la lettre *W*, pas *S*.»

Jen parcourut la liste jusqu'au bout. «Ouais,
la voilà.

– C'est donc *le* mailing de *Hoi Aristoi*.»
Je jetai un coup d'œil par-dessus l'épaule de

Jen pour vérifier les adresses et confirmer ma théorie. Une adresse sur trois se trouvait sur la Cinquième Avenue – certaines n'avaient même pas de numéro précis. Être propriétaire d'un immeuble entier à Manhattan équivaut à posséder son propre aéroport n'importe où ailleurs : cela signifie que vous êtes *riche*. L'adresse d'Hillary Winston-particule-Smith n'était pas en reste, pour le coup. Elle vivait dans un certain immeuble de l'Upper East Side connu pour être habité par des stars, des rois du pétrole et des marchands d'armes.

« Ils ont acheté la liste des abonnés, dis-je.

– Ils vont envoyer un exemplaire à chacune de leur victime, répondit Jen en gloussant. C'est bien gentil de leur part.

– Et aussi à tous les futurs abonnés, juste pour leur montrer ce que sont les aristocrates. Je parie que la presse aussi va recevoir des copies. » Je secouai la tête. « Mais pourquoi ? Tout cet argent dépensé pour une simple blague ? »

Jen hocha la tête. « Quand j'ai énervé Mandy pendant la réunion témoin, qu'est-ce que tu m'as dit à la sortie ? Faire foirer les choses demande un certain talent, non ?

– Ouais. » Je regardai autour de moi. « Et Garamond en a à revendre, ça c'est sûr.

– Et il a un plan que je commence à comprendre. Enfin, presque.

– Allez, mets-moi au parfum. »

Elle secoua la tête. «Je ne suis pas encore totalement certaine. Mais on brûle. Ça aiderait si on pouvait savoir qui d'autre est dans le coup.» Elle désigna la liste. «Ça coûte combien un truc comme ça?»

Je l'étudiai en réfléchissant à la question. Qu'ils parlent de snow-boards, de furets domestiques ou des derniers gadgets à la mode la plupart des magazines gagnent plus en vendant leur liste d'abonnés que leurs exemplaires en kiosque. C'est un gros business que de savoir comment les gens se perçoivent eux-mêmes, quels sont leurs revenus et comment ils les dépensent. Un magazine n'est peut-être qu'un emballage pour publicités, mais c'est aussi une bible quant à un certain mode de vie : il informe le lecteur de ce qui se passe, ce à quoi il faut penser et, plus important, ce qu'il faut acheter. C'est pourquoi vous recevez des tonnes de courriers inutiles lorsque vous vous abonnez à un nouveau magazine, selon que vous êtes catalogué snow-boardeur, ami du furet ou collectionneur de gadgets.

Les annonceurs divisent l'humanité en catégories marketing, des tribus Adulescents, Bobos ou Métrosexuels. Les abonnements à des magazines sont le moyen le plus simple de savoir qui est qui. J'avais entre les mains la liste haut de gamme des Sang Bleu pure souche. Une mine d'or.

« Ça vaut cher, tout comme le reste de cette opération.

— Je te parie que Battage Mobile n'a rien déboursé pour l'avoir.

— Et pourquoi pas ? Futura a dû bien gagner sa vie pendant toutes ces années. »

Elle hocha la tête. « Sans doute. Mais voudrait-il que tout le monde sache qu'il est derrière un boulot comme celui-ci ? » Elle désigna le mur de photos d'un grand geste. « Quelque chose de si policé, de si banal ? Même si c'est une bonne blague, ça reste quand même de la pure imitation.

— Ouais, et ça le grille certainement pour toujours dans le monde de la presse.

— Donc, quelqu'un d'autre a payé pour cette liste. Quelqu'un qui est de mèche avec l'anti-client. »

Je haussai les épaules. « Même si on arrive à trouver qui a payé pour le mailing, ça risque de n'être qu'une société qui sert de couverture. Genre Dup, Inc. »

Jen acquiesça. « Peut-être. Mais celui qui a avancé le fric a dû aussi payer pour les trucs superchers des pochettes-cadeaux : les centaines de bouteilles de Dup et de Noble Sauvage, sans parler de tous les appareils numériques. Ce ne sont pas des achats que l'on fait simplement par carte de crédit. Il doit y avoir une trace de l'argent.

– OK… » Je jetai un coup d'œil à la porte d'entrée, imaginant le cliquetis d'une clé dans la serrure à tout moment. Ça nous ferait sortir de là, au moins. «Par où on commence?»

Elle ramassa la liste. «Par là. Ton amie Hillary ne travaille-t-elle pas pour *Hoi Aristoi*?

– Hillary ne travaille pas pour eux, elle a juste fait un peu de relations publiques. Et ce n'est pas mon amie.

– Mais elle te dirait tout de même ce qu'elle sait, non?

– Me donner des infos confidentielles sur un client? Pourquoi Hillary ferait-elle une chose pareille?»

Jen fit un grand sourire. «Parce qu'elle meurt probablement d'envie de savoir qui lui a rendu la tête violette.»

Chapitre 27

On commence avec des mollusques, on finit avec un empire.

Ça semble délicat, mais les Phéniciens y sont parvenus il y a quatre mille ans. Leur minuscule part de royaume était coincée entre un immense désert et la mer Méditerranée : ni mines d'or, ni oliviers, ni champs de blé aux couleurs ambrées à l'horizon. La seule chose que les Phéniciens avaient en leur possession était une espèce de coquillage que l'on trouvait communément en traînant sur les plages. Ces coquillages avaient bon goût mais présentaient un défaut : si vous en mangiez trop, vos dents devenaient violettes.

Bien entendu, la plupart des gens étaient gênés par cette particularité. Ils disaient probablement des choses comme : « Ces coquillages ne sont pas mal, mais qui veut avoir les dents violettes ? » et ils n'y pensaient plus.

Puis, un jour, un Innovateur de l'ancien temps eut cette idée folle…

OK, imaginez que vous vivez en Égypte, en Grèce ou bien en Perse à cette époque et que vous êtes riche. Vous avez tout l'or, toute l'huile d'olive et tout le blé que vous voulez. Mais la seule chose que vous portez chaque jour, ce sont des tuniques en toile dans les coloris suivants : beige clair, beige et beige foncé. Vous avez vu les péplums : tout le monde a de la supersape dans les tons terre – c'est tout ce qu'ils avaient et c'est tout ce qu'ils croyaient pouvoir avoir.

Mais, un jour, une cargaison de Phéniciens débarque et ils vendent du tissu violet. *Violet !*

Finie, la garde-robe beige !

Pendant un temps, le violet est *la* couleur, la tendance la plus importante depuis l'engouement pour la roue. Après une vie entière à porter toutes ces nuances de beige, tout le monde se bouscule pour acheter le nouveau tissu cool. Le prix est faramineux, dû en partie à la demande mais aussi parce qu'il faut deux cent mille coquillages pour produire une once de teinture. Et en un rien de temps les Phéniciens croulent sous la thune (en fait, ils croulent sous l'or, l'huile d'olive et le blé, mais vous voyez le tableau).

L'empire du libre-échange est né. Et, parlant de marque : *Phoenicia* signifie « violet » en grec ancien. Vous êtes ce que vous vendez.

Après quelque temps cependant, une chose intéressante se produit. Les gens au pouvoir décident que le violet est bien trop cool pour être porté par n'importe qui. Ils fixent d'abord une taxe sur le tissu violet ; puis ils font passer une loi qui interdit aux *hoi polloi* de porter du violet (comme s'ils pouvaient se le payer) ; et, finalement, ils n'autorisent plus que les rois et les reines à arborer des tenues violettes.

Au fil des siècles, ce code vestimentaire s'est répandu et ancré dans la culture tant et si bien que même aujourd'hui, quatre mille ans plus tard, la couleur violette est toujours associée à la royauté à travers l'Europe. Tout ça parce qu'un Innovateur qui a vécu il y a quarante siècles s'est dit qu'il pourrait transformer ce problème de dents violettes en truc cool. Bien joué.

Mais pourquoi est-ce que je vous raconte tout ça ?

Quelques jours après la soirée *Hoi Aristoi*, les rumeurs concernant des Sang Bleu à la tête violette circulaient dans tout New York et une bonne partie du plus riche segment de la société disparut dans les Hamptons pour se mettre en quarantaine royale et attendre que la teinture violette s'estompe. Certains parents très préoccupés firent analyser des restes de Dup pour voir ce que contenait le produit. On y découvrit de l'eau, du sulfate MEA-lauryl et une impressionnante concentration médicalement sûre, écologiquement parfaite et scrupuleusement efficace de teinture de coquillage.

Cela allait sans dire : l'anticlient connaissait bien son histoire.

Hillary Winston-particule-Smith ne recevait aucune visite.

Nous étions dans l'entrée d'un immeuble huppé de la Cinquième Avenue habité par des sportifs millionnaires, des informaticiens milliardaires et un certain musicien dont le nom a une consonance royale. (Et quand on y pense, le type adore le violet. Allez savoir.) Le concierge de l'immeuble portait un uniforme violet d'un goût exquis qui s'accordait avec les fauteuils du hall de marbre et d'or, tapissés d'un tissu violet profond ; ce qui prouvait bien que les choses n'avaient pas changé tant que ça en quatre mille ans.

« Mlle Winston-Smith ne se sent pas bien, nous confia le concierge.

— Oh, c'est terrible, dis-je. Euh, l'avez-vous vue aujourd'hui, par hasard ? »

Il secoua la tête. « Elle n'est pas sortie de chez elle.

— Vous êtes certain de ne pas pouvoir la prévenir de notre venue ? demanda Jen.

— Des amis sont passés plus tôt et elle a affirmé qu'elle ne descendrait pas aujourd'hui. » Le concierge s'éclaircit la voix. « En fait,

Mlle Winston-Smith a dit qu'elle ne sortirait plus de *l'année*. Vous savez comment elle peut être. »

Je savais très bien. Et si Hillary souffrait sincèrement de l'effet Dup, j'étais plutôt soulagé de ne pas être honoré de son auguste présence.

« Bon, tant pis…, » commençai-je à dire en reculant poliment d'un pas.

Puis j'entendis les bips du téléphone de Jen qui composait un numéro. Le concierge et moi nous tournâmes vers elle pour l'observer, paralysés par l'étonnement. Je n'avais pas vu Jen chercher le numéro de téléphone d'Hillary sur le mailing, et le concierge n'avait probablement jamais entendu quelqu'un parler à Mlle Winston-Smith de cette façon.

« Hillary ? C'est Jen – on s'est rencontrées il y a deux jours à la réunion de Mandy. J'espère pour toi que tu n'es pas loin de ton répondeur, parce que Hunter et moi sommes en bas à la réception et nous avons une assez bonne idée de comment dénicher l'antidote au shampooing que tu as dû utiliser ce matin. Ça ne prendra qu'un instant et on pourra peut-être aussi t'aider avec le euh… problème violet. Mais on est sur le point de partir là, donc si tu… »

L'interphone derrière le comptoir s'anima et la voix brisée et rauque d'Hillary résonna dans le hall.

« Reginald ? Pourriez-vous les faire monter, s'il vous plaît ? »

Reginald, surpris, cligna des yeux, oublia presque de répondre à Mlle Winston-Smith et nous indiqua l'ascenseur.

« Vingtième étage », dit-il, le regard plein d'admiration.

Hillary se trouvait dans le jardin, un grand balcon qui donnait sur Central Park, emmitouflée dans une robe de chambre, une serviette-éponge enroulée autour de la tête. Sa peau était fripée et ses doigts ridés par cette journée dédiée de toute évidence à la douche et au bain, ses yeux rougis et gonflés par les larmes. Son visage, ses mains, ses avant-bras jusqu'aux coudes ainsi que les quelques mèches de cheveux échappées de son turban étaient tous d'un violet royal et extraordinairement flamboyant.

Ça lui faisait un look d'enfer. La teinture avait imprégné uniformément sa peau et, par contraste avec ses yeux bleus, produisait un effet d'une beauté inattendue. Hillary avait atteint le dernier degré du cool en tant que présentatrice canon pour une certaine chaîne musicale du câble. Les traits de son visage étaient de sang bleu comme son carnet d'adresses et, bien qu'elle eût toujours un style trop commercial à mon goût, son teint violet lui avait donné un bon petit air bobo-branché.

«Comme se fait-il que tu sois normal, Hunter?» dit-elle alors que Jen et moi apparaissions au soleil. J'entendis le domestique qui nous avait conduits à travers l'immense appartement se retirer subrepticement derrière nous.

«Comment, normal? répondis-je.

— *Pas violet!*»

Je levai mes mains qui portaient toujours les traces de ma brève exposition à Dup.

«Attends, c'est vrai…» Elle fronça ses sourcils violets, comme si elle luttait contre une gueule de bois monumentale pour se rappeler la nuit passée. «Hier soir, je t'ai demandé ce que tu avais aux mains.

— Exact, acquiesçai-je, ne sachant pas où elle voulait en venir.

— Hunter! Tu avais déjà cette saloperie sur les mains quand je t'ai vu hier soir. Pourquoi ne m'as-tu pas prévenue?»

J'ouvris la bouche, puis la refermai. Bonne question. Je suppose que j'étais plus préoccupé par le kidnapping de Mandy que de sauver une bande de Sang Bleu d'une prise de tête violette. (Mais honnêtement, l'idée de tirer la sonnette d'alarme ne m'avait même pas traversé l'esprit.)

«C'était un peu compliqué hier soir et..

— On était en mission secrète, intervint Jen. On essayait déjà de découvrir qui se cache derrière tout ça.

— Secrète?» Hillary leva un sourcil violet.

« C'est quoi ce bordel ? Et puis t'es qui toi d'abord ?

– On s'est rencontrées l'autre…

– Je *sais* bien où on s'est rencontrées, mais tu viens d'où ? Et pourquoi tout est bizarre depuis que tu es dans les parages ? »

La rage violette d'Hillary me prit de court. Les choses avaient été *vraiment* étranges depuis ma rencontre avec Jen – je l'avais déjà remarqué une ou deux fois. Et dans un moment de clarté mentale, j'avais réalisé que tout cela se serait déroulé très loin de mon petit monde si je ne l'avais pas rencontrée. Je ne serais jamais allé à la soirée de lancement, ni entré par effraction dans les bureaux de Battage Mobile. Et d'ailleurs, si Jen n'avait pas mentionné la Miss Black-out à la réunion, Mandy ne nous aurait jamais donné ce rendez-vous à l'immeuble abandonné. Mandy n'aurait peut-être jamais elle-même mis les pieds là-bas ce matin-là et elle serait toujours parmi nous, dirigeant des groupes témoins et prenant des photos de types avec des bérets, au lieu… d'avoir disparu.

Mais les traits violets d'Hillary n'étaient pas vraiment dus à Jen. La fête *Hoi Aristoi* avait été prévue de longue date. Jen n'était pas le porte-malheur par lequel tout arrivait ; elle tenait plus de la boussole qui me guidait, infaillible, vers d'étranges contrées. Ou un truc dans le genre.

Je décidai d'y revenir plus tard. « Comme Jen l'a précisé, nous étions en mission secrète. Mandy a disparu hier et nous essayons de la retrouver.

— Mandy ? » Hillary attrapa un Bloody Mary posé sur la table à côté de sa chaise longue et le but d'un trait. Nom d'un chien. Même teinte en violet, Hillary avait l'air un peu verte sur les bords, probablement à cause d'un excès de Noble Sauvage. « Qu'est-ce que tout cela a à voir avec elle ?

— Nous n'en sommes pas encore sûrs, dis-je. En fait, nous ne sommes sûrs de rien. »

Hillary leva les yeux au ciel. « Chic, Hunter. Je suis ravie de savoir que vous êtes tous les deux sur le coup.

— Comme je te l'ai déjà dit, c'est compliqué. Mais nous pensons pouvoir mettre la main sur les gens qui se cachent derrière Dup. Il faut seulement que tu nous donnes quelques renseignements.

— Mais tu n'as même pas… » Elle cligna des yeux et je crus un instant qu'elle allait se mettre à pleurer. Je détournai mon regard vers les plantes exotiques et les arbres en pots, vers le parc et l'horizon crénelé des gratte-ciel de Manhattan qui faisaient penser à des dents cassées se dressant au cœur d'une forêt.

Hillary sanglota une seule fois. « Tu as tourné les talons et tu m'as abandonnée.

Hunter, tu devais savoir que c'était de la teinture.

— Eh bien, ouais, je crois. Mais je ne savais absolument pas ce qui se passait. Je veux dire, tous ces flashs de lumière me faisaient flipper...

— Laisse-moi te poser une question, Hillary, dit Jen. Lorsque tu es sortie de ta douche et que tu t'es vue, t'es-tu immédiatement installée pour appeler et prévenir tous tes amis ?

— Je..., commença-t-elle, mais ses mots se perdirent dans une perplexité violette. Pas sur le coup. Mais c'était *ce matin*. Hunter savait qu'il se passait un truc pas net hier soir à la fête.

— Et ton argument c'est... ? »

Elle chassa la question de Jen d'un geste comme s'il s'était agi d'un moustique gênant. « Tu ne trouverais pas ça drôle si tu étais violette.

— Je ne trouve pas ça..., commença Jen, puis elle leva les bras. Enfin, d'un certain côté, si, c'est drôle. »

Hillary grommela. « On a bien rigolé, Hunter, mais maintenant je crois qu'il est temps que vous partiez. » Elle frappa sur un interphone sans fil près du verre vide de Bloody Mary et une sonnerie lointaine retentit dans l'appartement.

« Écoute, dis-je, je suis désolé de ne pas

t'avoir prévenue pour la teinture, Hillary. Mais on peut retrouver les gens qui t'ont fait ça.»

Elle me lança un coup d'œil furieux. «C'est déjà trop tard.

— Mais si on trouve ces types, ajouta Jen, on trouvera peut-être l'antidote.»

Le domestique réapparut, campé dans l'embrasure de la porte du jardin alors qu'Hillary fronçait les sourcils, cherchant à transpercer Jen des yeux.

«Antidote?»

Jen haussa les épaules. «Il y a peut-être un moyen de laver tout ça.

— Un autre bloody», commanda Hillary en remuant les glaçons dans le verre vide, toisant Jen. Le domestique disparut.

Après un temps de calculs violets, elle reprit : «Vous voulez quoi au juste?

— Connaître les noms de tous ceux qui ont payé pour se procurer la liste d'abonnés à *Hoi Aristoi*, dis-je.

— Le mailing? OK, je vais passer quelques coups de fil.» Elle se pencha vers nous, prit la paille qui se trouvait dans son verre vide et la pointa vers moi d'un air menaçant. «Mais cette fois, tu as intérêt à me mettre au parfum, Hunter. Ou tu risques de te réveiller avec quelque chose de pire qu'une tête violette.»

Chapitre 28

Nous attendîmes l'appel dans notre café préféré, assis sur notre canapé rustique, épaule contre épaule. Cela aurait dû être merveilleux.

« Qu'est-ce qui te tracasse ? »

Je regardai mes mains violettes. « Hillary a raison. J'aurais dû le dire à quelqu'un hier soir, après m'être rendu compte que c'était de la teinture. La soirée entière était un piège et nous les avons tous laissés se faire prendre. »

Jen se pelotonna contre moi. « Arrête. On était trop occupés à ne pas se faire choper. Et je veux dire vraiment choper, pas teindre en violet ou photographier en train de faire n'importe quoi. N'as-tu pas dû sauver ta peau pour de vrai ?

— Ouais, deux fois dans la même journée. Mais j'aurais quand même dû dire quelque chose à Hillary.

— Tu te sens coupable à cause de la tête violette d'Hillary? Réveille-toi un peu, Hunter. Elle s'en remettra. On est allés à la soirée pour enquêter sur un kidnapping, pas pour sauver une bande de gosses de riches pourris gâtés.»

Je me dégageai d'elle pour mieux voir le sourire en coin à peine visible apparu sur ses lèvres. «Tu les aimes bien ces gars-là, hein? dis-je. L'anticlient.

— Ben, je n'irais pas jusqu'à dire que je *les* aime bien.» Elle s'installa au fond du canapé rustique et soupira. «Je pense qu'ils sont probablement dangereux et je m'inquiète pour Mandy. Et je ne veux surtout pas que l'un d'eux m'attrape.

— Mais...

— Mais j'aime bien *leur style*, dit-elle, puis elle sourit. Pas toi?»

J'ouvris la bouche, puis la refermai. C'était vrai: l'anticlient avait de la classe. Il était cool et il utilisait le cool d'une manière nouvelle. J'avais passé des années à étudier la façon dont les Innovateurs changeaient le monde et le procédé était toujours indirect, suggestif, filtré par les chasseurs de cool et les Initiateurs et, en définitive, par les géants de l'industrie, alors que les Innovateurs demeuraient invisibles. Comme lors d'une épidémie, le patient Zéro était toujours le plus difficile à trouver. Il y avait donc quelque chose de fascinant à ce qu'un Innovateur agisse de manière directe.

L'anticlient réalisait des pubs, s'emparait des soirées de lancement et créait sa propre campagne marketing bizarroïde.

J'étais curieux de voir ce qu'ils allaient faire maintenant.

«Peut-être, admis-je. Mais que crois-tu qu'ils veulent?

– À long terme?» Jen but une petite gorgée de café. «Je crois que tu avais raison avec ton histoire de pavés.

– L'anticlient veut balancer des pavés?

– Non. Enfin, peut-être quelques-uns, de temps à autre. Mais je pense qu'ils veulent surtout détruire le ciment qui scelle les pavés.»

Je fronçai les sourcils; ce raisonnement faisait resurgir un mal de tête à la paka-paka. «Tu pourrais décoder un peu ta métaphore?»

Jen me prit la main. «Tu sais de quel ciment je veux parler. Ce truc qui contrôle ce que tout le monde pense et comment on perçoit le monde.

– La pub?

– Pas seulement la pub, le système tout entier : les catégories marketing, les frontières tribales, tous les groupes dans lesquels les gens se font piéger. Ou desquels ils se font rejeter.»

Je secouai la tête. «Je ne sais pas. Le numéro zéro de *Hoi Aristoi* s'attaque à une cible plutôt facile. En fait, qu'est-ce qu'ils nous disent, là?

Que les gamins riches et gâtés sont des bouffons ? Pas vraiment révolutionnaire comme concept.

— Donc tu vas raconter à Hillary de la Particule tout ce que tu as vu à Battage Mobile ? Avec ses connexions, elle pourrait probablement stopper toute l'affaire avant même que ça ne parte à l'imprimerie. »

Je ris. « Non, tu es dingue.

— Exactement. Parce que tu as envie que ce soit envoyé. Tu as envie de voir ce qui va se passer. Chaque personne qui va mettre la main sur un exemplaire va le dévorer page après page, même les malheureux sur les photos. Parce que c'est de l'info qui vient de l'extérieur du système. Et on ne rêve que de ça.

— Mais ça sert à quoi au juste ? demandai-je.

— Comme je te l'ai dit, à détruire le ciment qui scelle les pavés.

— Pour qu'ils puissent en balancer plus ?

— Non, Hunter. Tu ne comprends vraiment pas ? L'anticlient ne veut pas seulement balancer des pavés. Il veut que la rue tout entière se soulève. Il veut faire en sorte que *tout le monde* se mette à balancer des pavés. »

Quelques minutes plus tard, un klaxon retentit à l'extérieur, une longue limousine attendait dans la rue où les ombres s'allongeaient dans la lumière du crépuscule. À notre approche, l'une des vitres arrière teintées s'abaissa de quelques centimètres et une main violette apparut, tenant fermement une feuille de papier. Je sentis le souffle glacial de la clim de la voiture et croisai brièvement un regard fixe encore plus glacial : un jeune *hoi aristoi* violacé me dévisageait d'un air furieux du fond de la banquette arrière.

Il disparut alors que la vitre remontait. Jen parcourut le document tandis que j'observais la voiture s'immiscer lentement dans le trafic, ramenant son passager dans l'enceinte de l'Upper East Side hautement surveillée.

« C'est mieux que rien », annonça Jen en me tendant notre trophée.

La courte liste était sur du papier à en-tête *Hoi Aristoi* vert pomme à reliefs dorés, l'encre du texte d'un riche violet. Elle mentionnait tous les suspects habituels : un certain maroquinier hors de prix, la banque d'un certain pays tropical connu pour être un paradis fiscal, le comité national d'un certain parti politique. Mais l'un d'entre eux sortait du lot et passait aussi inaperçu qu'une mygale sur une tranche de pain.

« 2 × 2 Productions.

– Ça ne te rappelle pas quelque chose ? » demanda Jen.

Je me souvins des paroles d'Hiro lorsqu'il

nous avait raconté la scission en ligne et Mwadi Mobrasic. Deux par deux ou crève.

Je ne pus m'empêcher de rire. « Peut-être que tout ça n'est vraiment qu'une histoire de roues. »

Chapitre 29

Jadis, lorsque les gentlemen anglais partaient pour la chasse, ils clamaient parfois haut et fort : « Soho ! » (Je ne sais pas vraiment pourquoi ; peut-être que Soho était le frère de Tayaut, genre.) Bien plus tard, lorsque certains des meilleurs terrains de chasse près de Londres furent pavés afin que puissent y être bâtis des commerces, des théâtres et des boîtes de nuit, un génie de l'immobilier décida d'appeler ce nouveau quartier cool « Soho ».

Un peu plus tard encore, un coin en ruine du New York industriel situé au sud de Houston Street fut rénové pour accueillir de nouveaux commerces, des théâtres et des boîtes de nuit, et un autre génie de l'immobilier décida de rebaptiser ce nouveau quartier cool « SoHo », c'est-à-dire « South of Houston ».

Bientôt, tous se mirent à la page. Les résidents au nord de Houston Street disaient habiter « NoHo », ceux de Lower Broadway « LoBro » et le coin au nord de l'Urban Tunel où se pressent les banlieusards pour rentrer chez eux se fit très justement appeler « NUTville[1] ».

Autant de génies de l'immobilier pour si peu de folie.

De nos jours, les jeunes du genre cool qui font du shopping ou vont au théâtre ou en boîte de nuit ont pour cri de guerre « Dumbo ! », c'est-à-dire « Derrière les usines du Manhattan Bridge à l'ouest », un paysage d'usines délabrées et de perspectives industrielles qui représentent le dernier bastion des franchement mégacool.

Pour cette semaine du moins.

Voilà comment s'y rendre.

Nous prîmes la ligne F jusqu'à York Street, à la frontière de Brooklyn. Le wagon était assez tranquille, juste les quelques coolos habituels avec leur étui à guitare et leur ordinateur portable, parés de tatouages et de métal, des designers/écrivains/artistes/créateurs de mode rentrant du boulot. Je reconnus même l'un des clients de notre café, probablement l'un de ces types qui écrivent un premier roman qui se déroule dans un café.

Jen et moi sortîmes du métro et remontâmes York Street. À notre gauche, la travée du Brooklyn Bridge s'étendait jusqu'à la rive

---

1. *Nut* peut signifier « fou » en anglais. (*N.d.T.*)

opposée du fleuve. Pour une fois, je n'éprouvais pas ce léger malaise de ne pas être dans Manhattan. Étant donné que l'anticlient était composé de chasseurs de cool renégats, cela semblait évident que la traque nous mènerait jusqu'ici. La majorité des coolos du métro étaient descendus en même temps que nous, allumant cigarettes et téléphones portables en disparaissant dans de vieilles rues où se trouvaient des bâtiments industriels restaurés. J'espérais sincèrement que ce quartier serait encore cool lorsque je déménagerais de chez mes parents, mais j'en doutais. Je lancerais probablement le cri de guerre de « NewJerZo » le jour où j'aurais les moyens de me payer ma propre piaule.

York Street formait une boucle vers l'ouest, nous menant vers Flushing Avenue, au-delà du parc naval de Brooklyn, le fief de 2×2 Productions.

J'avais vu de vieilles photos du parc au Muséum d'histoire naturelle, pendant ma phase météorite. Le gigantesque bloc métallique derrière lequel je m'étais caché avait passé quelques années ici même, il y a plus d'un siècle, alors que les gens essayaient de savoir ce qu'ils allaient bien pouvoir faire de trente-quatre tonnes de souvenir de l'espace. Je me demandais s'il avait dérouté les boussoles des navires voguant au loin, les attirant alors dans son périmètre et si, de ce fait, ce coin de Brooklyn n'était pas devenu un de ces lieux mystiques qui ont le don de toujours générer des trucs étranges. L'endroit portait bien le nom d'un éléphant volant, après tout.

Aujourd'hui, le parc naval de Brooklyn ne recèle plus ni météorites, ni marins, ni navires. Les gigantesques hangars de construction navale ont été transformés en studios de cinéma, en bureaux et en grands espaces pour les sociétés qui créent les décors des comédies musicales de Broadway.

« Je me demande pourquoi l'anticlient a besoin d'autant de place, dit Jen alors que nous avancions.

— Effrayante question. On pourrait cacher n'importe quoi ici. Une flotte de dirigeables, une armée de sauterelles… Un pavillon de banlieue avec jardin.

— Et après tu dis que c'est *moi* qui suis court-circuitée. »

Nous atteignîmes le bureau du service de sécurité et demandâmes la direction pour 2 × 2 Productions. Le garde leva les yeux de son minuscule écran de télé et nous jaugea de haut en bas.

« Ils font encore des castings ?

— Euh, ouais.

— Je pensais qu'ils déménageaient lundi.

— C'est toujours d'actualité, acquiesça Jen.

Mais ils ont dit qu'ils voulaient nous voir tout de suite.

– OK. » Il tendit le bras vers une pile de plans photocopiés du site naval, inscrivit un X sur le premier et nous le remit tout en tournant à nouveau ses yeux vers le téléviseur.

Jen était folle de rage en arrivant dehors. « Un casting ? Je n'en reviens pas qu'il ait cru qu'on était des acteurs. » (La plupart des Innovateurs n'aiment pas les acteurs, qui sont par définition des imitateurs.)

« Je ne sais pas, Jen, mais ta performance dans le bureau a été des plus convaincantes. »

Elle me lança un regard furieux.

« D'ailleurs, ajoutai-je, ça pourrait très bien être pour la pub de la chaussure.

– Bon, ça, ça me brancherait bien, à la limite. Mais l'idée qu'on soit envoyés par l'agence centrale de casting... » Elle en frissonna.

Le parc naval était pratiquement vide le samedi – de grands espaces vertigineux après les rues étroites de Manhattan. Nous marchâmes sous de gigantesques arches d'acier rouillé à la peinture écaillée, avant de traverser des voies de chemin de fer recouvertes de pavés qui formaient de longs sillons sur l'asphalte. Nous nous promenâmes entre d'anciennes usines abandonnées et des hangars en tôle préfabriqués où étaient alignés des moteurs de climatiseurs qui grondaient.

«C'est là», dis-je.

Le nom 2 × 2 Productions était inscrit sur la vitre d'une impressionnante porte coulissante encastrée dans une vieille bâtisse de briques dans laquelle on aurait pu cacher un navire de guerre.

Je sentis un frissonnement nerveux me parcourir : c'était l'instant où Jen allait prendre les commandes et nous faire entrer par des moyens détournés, dangereux et probablement interdits.

Mais s'opposer au destin ne servait à rien.

«Comment on entre ? demandai-je.

– Par là peut-être ?» Jen tira sur la grande poignée et fit coulisser la porte. «Ouais, ça a marché.

– Mais ça veut dire que…»

Jen hocha la tête et exhiba son bracelet Wi-Fi qui clignotait. D'un coup d'ongle sur une minuscule languette, elle en atténua l'éclat et chuchota : «Ça veut dire qu'ils sont là, probablement en train de tout empaqueter pour le déménagement. On a intérêt à ne pas faire de bruit.»

Il faisait nuit noire à l'intérieur.

Nous faufilant parmi des objets informes, nous sombrâmes dans un silence ténébreux. Jen se cogna à quelque chose qui racla furieusement le sol en béton. Nous restâmes figés sur place jusqu'à ce que l'écho s'éloigne, témoin du vaste espace qui nous entourait.

Au fur et à mesure que mes yeux s'accoutumaient à l'obscurité, la multitude d'objets autour de moi me semblait de plus en plus familière, comme si j'avais déjà visité cet endroit. Je forçais mes yeux à définir les formes dans le noir. Nous passions près d'un ensemble de tables sur lesquelles quelques chaises retournées étaient posées.

Je tendis le bras et attrapai Jen pour la stopper.

«À quoi ça te fait penser, tout ça? chuchotai-je.

— Je sais pas moi, un resto fermé?

— Ou un décor qui est censé représenter un restaurant. Un peu comme celui de la pub Dup.» Je passai ma main sur l'une des chaises, essayant de m'en souvenir. «Là où le type commande un fot-au-peu et la joupe du sour.»

Elle regarda autour d'elle. «Tu en es sûr?

— Non.» Je clignai des yeux dans l'obscurité, laissant les formes venir à moi. «Ce ne sont pas des vieux fauteuils de théâtre, là-bas?

— Pourquoi seraient-ils là?

— Une des scènes se déroulait dans un théâtre. Quand l'ouvreur s'emmêle les pinceaux.

— Pour quelle raison construiraient-ils un théâtre sur un plateau?» Jen secoua la tête.

«On est à New York, rappelle-toi, la ville des théâtres. Ils ne pouvaient pas en louer un ?

– Euh…» Je dépassai quelques sièges. Cinq ou six rangées en tout seulement, de dix sièges environ, avec un rideau de velours rouge en fond. Mais Jen avait raison. Ces dépenses semblaient complètement inutiles dans une ville remplie de vrais théâtres, sans parler des restaurants. «Peut-être voulaient-ils contrôler totalement la situation ? Garder le secret absolu.

– Peut-être sont-ils juste complètement dingues, dit Jen.

– Ça, c'est la seule chose dont je sois sûr…

– *Chut.*» Jen se figea dans l'obscurité. Elle fit un signe de tête vers la gauche.

J'entendis une voix résonner à travers l'espace caverneux.

«Ça ne serait pas qui tu sais ?» chuchota Jen.

Je scrutai les ténèbres en tendant l'oreille. Un rai de lumière presque imperceptible brillait à l'autre bout du vaste studio, une petite lueur qui s'échappait de sous une porte et s'agitait alors que quelqu'un faisait les cent pas de l'autre côté. La voix poursuivait, les mots engloutis par la distance, mais le ton strident était on ne peut plus familier.

C'était la voix d'une Mandy Wilkins très énervée.

Chapitre 30

Ma voix se fit plus basse qu'un chuchote-
ment, un souffle : « Silence. »

Parmi les vagues formes entremêlées,
silence signifiait « lentement ». Nous avan-
çâmes comme des plongeurs sous-marins, marchant au ralenti, les bras tendus, à tâtons dans
les ténèbres. À mesure que nous approchions,
nos yeux s'accoutumaient peu à peu, la lueur
sous la porte semblait s'intensifier. L'aspect du
sol en béton se précisa, la lumière en biais donnant aux imperfections en surface des allures
de cratères lunaires.

Progressivement, je discernai d'autres portes
le long du mur du studio. La plupart étaient
sombres mais certaines laissaient entrevoir
une lueur. D'autres bruits plus sourds traversaient le mur, des grognements et des racle-
ments, le déplacement d'objets lourds sur le
sol brut. Plusieurs échelles de métal disparaissaient dans les hauteurs au-dessus de nos têtes

où une passerelle faisait le tour extérieur du studio, donnant accès à la régie son et à des projecteurs suspendus à une structure d'acier.

La porte que nous avions remarquée en premier se distinguait des autres – la lumière qui l'encadrait étant d'une clarté effrayante – et j'imaginai une lampe d'interrogatoire aveuglante braquée sur le visage de Mandy, au bout d'une table nue.

Une phrase intelligible s'échappa du brouhaha : «Je crois que vous n'avez rien compris!»

Le ton de la réponse était trop bas et monocorde pour que j'en perçoive le sens, mais elle paraissait froide et menaçante.

Un raclement de chaise se fit entendre de l'autre côté de la porte, puis un bruit de pas.

Jen se jeta derrière une immense machine, me faisant de grands signes pour que je la rejoigne. Le rai de lumière s'assombrit davantage à l'approche de la personne.

Pris de panique, je fis quelques pas en silence pour retrouver Jen et m'accroupis à ses côtés à l'instant même où la porte s'ouvrait, baignant l'immense studio de clarté. Des bottes de cow-boy et les chaussures rouge et blanc du client traversèrent mon champ de vision – Stock-car Man (connu sous le nom de Futura Garamond) escortait Mandy à travers l'étendue de béton.

L'obscurité les engloutit alors que la porte se refermait, mais une rangée de spots s'alluma et les hauteurs s'illuminèrent. Jen me tira un peu plus derrière l'imposante machinerie qui nous dissimulait au moment même où Futura Garamond s'avançait vers nous, la main toujours sur l'interrupteur.

J'avalai ma salive et me pressai contre Jen, mon cœur battant la chamade. M'avait-il entendu ? Nous avait-il vus ?

« Hé, ho ? » lança-t-il.

Nous restâmes pétrifiés jusqu'à ce qu'il secoue la tête et guide Mandy vers une autre porte, une quinzaine de mètres plus loin. Il l'ouvrit, elle entra seule et Garamond laissa la porte se refermer derrière elle avec un *clic*.

« Je reviens », dit-il à travers la porte, puis il tourna les talons et disparut en grimpant à l'une des échelles, ses bottes de cow-boy cognant contre le métal. Jetant un coup d'œil vers la passerelle, nous le vîmes marcher juste au-dessus de nos têtes. Puis ses pas s'éloignèrent.

Jen et moi nous tînmes tranquilles un instant, toujours agrippés l'un à l'autre. Était-il toujours là-haut, regardant en bas ? Attendait-il de nous voir surgir de là ? Ou bien la passerelle menait-elle à une autre partie du bâtiment ?

Après de longues secondes d'attente, Jen dit : « Allez, viens. »

Nous nous dirigeâmes à pas de loup vers la porte derrière laquelle Mandy avait disparu et je levai le nez en direction des projecteurs suspendus. Je me sentis démuni dans la lumière mais Garamond, où qu'il soit, remarquerait certainement si elle s'éteignait à nouveau.

Une fois devant la porte, Jen tendit le bras et agrippa doucement la poignée, la faisant tourner aussi délicatement qu'un braqueur de coffre-fort.

Elle fit non de la tête. Fermée à clé.

Je plaquai mon oreille contre l'acier froid mais n'entendis rien. Ce devait être là qu'ils gardaient Mandy entre les interrogatoires. Que cherchaient-ils à faire ? Percer les secrets marketing du client ? Trouver dans ses opérations à l'étranger de quoi ternir sa réputation ? Avoir plus d'infos sur *moi* ?

Quelles qu'aient été les motivations de l'anticlient par rapport à Mandy, le moment était venu de la sauver. Et vite. Car Futura Garamond avait dit qu'il reviendrait.

Jen fit le geste de frapper à la porte en m'interrogeant du regard.

Je secouai énergiquement la tête. La dernière chose dont nous avions besoin était que Mandy se mette à crier «Qui est là ?» Sa voix aiguë était connue pour sa capacité à capter l'attention des groupes témoins indisciplinés.

Je mimai à mon tour un coup de poing vers

la porte, Jen acquiesça. Nous allions devoir l'enfoncer.

Malheureusement, nous avions oublié d'apporter un bélier. La porte semblait redoutable, avec son blindage de métal peint en gris industriel. Et une fois le premier coup lancé, nous allions rapidement avoir de la visite. Il fallait l'exploser, sortir Mandy de là et détaler à l'autre bout des studios.

Je jetai un coup d'œil autour de moi, cherchant un objet pour attaquer la porte, et je découvris un extincteur accroché dans un coin.

Jen fit un pas dans ma direction en remuant la tête. Elle pointa du doigt notre ancienne cachette.

Sous la lumière des projecteurs, je distinguai clairement l'imposante machinerie derrière laquelle nous nous étions dissimulés. C'était un chariot de caméra massif à quatre roues, utilisé pour filmer les plans de travelling.

À l'avant se trouvait une sorte de lourde grue qui permettait de fixer la caméra.

Je souris. Nous avions notre bélier, finalement.

Nous filâmes rapidement vers le chariot et fîmes une première tentative. Il glissa facilement vers l'avant grâce à ses pneus en caoutchouc facilitant un mouvement souple et silencieux.

Jen et moi nous adressâmes un grand sourire. Parfait.

Nous l'alignâmes en direction la porte, la
grue visant pile au centre.

«Un… deux… trois…», articula Jen, et nous
poussâmes de tout notre poids sur le chariot.
Conçu pour avancer vite, il prit rapidement de
l'allure, roulant en silence sur le sol lisse.

Cinq secondes avant la collision, la porte
s'ouvrit.

Mandy était plantée là, interloquée. La petite
pièce était d'une blancheur aveuglante. Je m'arrêtai dans mon élan, mais le bélier m'échappa
et poursuivit son imperturbable progression.

«C'est quoi ce b…», bégaya Mandy alors
que le chariot se ruait vers elle. Puis, à la dernière seconde, elle fit la chose la plus sensée et
claqua la porte.

Le chariot se coinça dans un gros crissement métallique et le bruit d'une voiture heurtant une poubelle à toute vitesse résonna dans
le vaste espace. La porte se plia et la grue s'enfonça comme un poing dans un estomac.

«*Mandy!*» criai-je en m'élançant dans sa
direction.

Jen et moi tirâmes le chariot avec frénésie, la
porte se balança puis sortit de ses gonds avant
de s'effondrer au sol.

Mandy était debout dans la pièce, nous relu-
quant de son perchoir. Je me rendis compte

qu'elle avait bondi sur des toilettes pour échapper au chariot déchaîné – elle était aux toilettes. Des bruits de chasse d'eau s'échappaient de l'impassible plomberie.

« Ça va ? hurlai-je.

– Hunter ? Qu'est-ce que tu fab… ?

– Pas le temps ! » criai-je, et je la tirai de son perchoir. Jen traversait déjà le studio, hors du champ des projecteurs, vers l'obscurité. Je traînai derrière moi une Mandy complètement abasourdie, me heurtant dans l'ombre à des obstacles invisibles alors que nous foncions vers la grande porte vitrée.

Je perçus alors tumulte et vacarme derrière moi, les portes s'ouvrirent et la lumière envahit le studio. Si seulement nous parvenions à atteindre le service de sécurité à l'entrée ou même la lumière du jour…

« Hunter ! cria Mandy, tel un poids mort derrière moi.

– Cours ! » beuglai-je en essayant de la propulser en avant, mais elle bloqua ses talons dans le sol et me força à m'arrêter.

Je me retournai et lui fis face.

« Qu'est-ce que tu *fais* ? hurla-t-elle.

– Je te sauve ! »

Elle me fixa pendant une interminable seconde, puis soupira et secoua la tête : « Oh, Hunter, tu es tellement dépassé. »

Puis le monde explosa et des faisceaux

d'éclairage de cinéma puissants et vrombis-
sants s'abattirent sur nous de tous côtés.

«Oh merde», entendis-je Jen dire.

Je me protégeai les yeux, complètement
aveuglé. Des bruits de pas et de roues de patins
métalliques nous encerclèrent.

Oh merde, c'était clair.

Chapitre 31

Une voix autoritaire se fit entendre derrière l'aveuglant mur de lumière.

« Mais ça ne serait pas Hunter Braque, le petit blanc-bec qui donne l'impression que sa mère n'a pas fini de l'habiller ? »

Même aveuglé et terrifié, je tressaillis en entendant cette fashion analyse parfaitement injuste. Je portais peut-être un pantalon en velours côtelé gris et un T-shirt couleur chewing-gum desséché, mais j'avais opté pour le socialement incognito.

« C'est une couverture, vous savez, protestai-je.

— Ouais, ça en a tout l'air, lança une voix plus grave à l'opposé — le grand type chauve.

— Et qui voilà ? » reprit la première voix.

J'entendis un grondement de patins sur le sol en béton. J'écarquillai les yeux jusqu'à l'agonie et je vis Mwadi Mobrasic qui glissait gracieusement hors du champ lumineux crame-rétine

307

J'aperçus plusieurs autres silhouettes qui nous encerclaient, bloquant toutes les issues. Futura Garamond s'aventura de l'autre côté de l'aveuglant mur de lumière, il portait sa casquette de camionneur et ses bottes de cow-boy. Il fixa du regard les pieds de Jen.

« Yo, mate un peu, elle a les lacets », dit-il. Un murmure de reconnaissance parcourut l'attroupement de nos ravisseurs.

« Effectivement, dit Mwadi Mobrasic, la toisant du haut de ses patins, derrière ses lunettes noires. Tu as trouvé ça toute seule, ma jolie ? »

Jen la dévisagea en clignant des yeux. « Ouais. Mais ça veut dire quoi, *les* lacets ?

— Mandy en avait une photo sur elle. On en a tous parlé, de ces lacets. » Mwadi hocha la tête, telle une reine impérieuse fière de son sujet. « C'est du bon boulot.

— Euh, merci.

— Laissez-nous partir », exigeai-je, si toutefois un ton strident peut passer pour exigeant.

Mwadi Mobrasic me fit face et dit : « Pas avant de signer le contrat. »

Je me tournai à mon tour vers Mandy qui arborait cet air furieux réservé aux gens qui essaient perpétuellement de lui faire croire que les bottes en caoutchouc reviennent à la mode.

« Att-attendez, là, bégayai-je. Quel contrat ?

— Le plus gros contrat de ma carrière,

Hunter, soupira-t-elle. Crois-tu pouvoir ne pas *tout* faire foirer ? »

Nous nous installâmes à l'une des tables du faux restaurant : Jen et moi, Mwadi Mobrasic, Mandy et Futura Garamond. Quelques autres de leurs acolytes restèrent postés autour de nous, à peine visibles derrière les rampes de projecteurs allumés. J'aperçus les cheveux métalliques de Space Girl et la silhouette du grand type chauve une fraction de seconde, leur position alerte insinuant clairement que partir n'était pas une option. De notre îlot de lumière, le son semblait s'étendre sur un périmètre gigantesque dans toutes les directions, offrant à nos paroles un écho de grandeur.

« Tu ne t'es donc pas fait kidnapper ? demandai-je à Mandy pour la troisième fois.

— Eh bien… au début peut-être. » Elle interrogea Mwadi du regard pour qu'elle lui vienne en aide.

Mobrasic retira ses lunettes noires et je clignai des yeux. Ses iris étaient aussi verts que ceux de Jen, mais encore plus perçants, et ses yeux réduits à deux fentes dans l'éclairage éblouissant des projecteurs. Elle portait un marcel blanc et un jean délavé sans marque, une large ceinture noire et une fausse chaîne en or autour du cou : genre mecton des rues stylé break-dance. En hiver, il suffisait d'ajouter un blouson en cuir. Je savais grâce aux archives de chasse au cool que si vous aviez grandi dans le Bronx dans les années 1980, cet uniforme était pratiquement celui des Antilogo.

Elle posa ses lunettes sur la table, peu pressée de répondre, imposant cette forme d'autorité incontestable conférée par le fait d'être d'une génération plus ancienne mais toujours totalement cool.

« Nous avons décidé de passer un marché.

— Vous avez fait affaire avec le client ? demanda Jen scandalisée.

— Bien sûr. L'effet de surprise était foutu de toute façon. Et ils les voulaient.

— Ça, c'est certain, intervint Mandy.

— Attendez, demandai-je. Vous vouliez quoi ?

— Vous vous êtes vendus », dit Jen à Mobrasic.

J'avais l'impression de lire des sous-titres qui ne collaient pas avec les dialogues. « Hein ?

— Ce n'était pas censé se passer comme ça », répondit Mobrasic d'une voix sombre, dans le grondement inquiétant de ses patins sous la table provoqué par le va-et-vient incessant de ses pieds. « Nous avons travaillé sur ces chaussures pendant deux ans afin qu'elles soient parfaites. Nous voulions les lancer sur le marché avec la virgule barrée. Mais certaines personnes de notre organisation pensaient qu'elles étaient trop cool. En théorie, nous risquions apparemment de relancer le client, de le rendre branché par association.

— Comme une sorte de Tony Bennett[1] qui s'autoparodie », dit Jen.

Je me surpris en train de hocher la tête. Les choses commençaient à s'éclaircir un peu. « La première fois qu'on a vu les chaussures, on a même hésité entre des contrefaçons et une autoréflexion du client. Vous êtes donc devenus nerveux à l'idée que le plan des chaussures puisse se retourner contre vous ?

— Ça ne m'a pas rendue nerveuse, dit Mobrasic d'un ton qui insinuait qu'elle n'était jamais nerveuse. Mais certaines personnes si, et ils ont agi de leur côté. » Elle haussa les épaules. « C'est ce que je récolte, à travailler avec des anarchistes.

— Ils ont appelé la police ?

— Quelqu'un a appelé le client, dit Mandy, pour signaler une cargaison de contrefaçons. Avant que les cols blancs de l'administration ne préviennent les flics, ils ont envoyé un représentant pour jeter un coup d'œil aux chaussures, un type qui s'appelle Greg Harper.

— Ton patron, ajoutai-je. Et lorsqu'il les a

_____

1. Crooner dans la veine de Frank Sinatra qui a fait un come-back dans les années 1990 en enregistrant des chansons avec des artistes en vogue. (*N.d.T.*)

vues, il a compris qu'il se trouvait face à des contrefaçons qui étaient mieux que l'original. »

Mandy gloussa. « Et un col blanc comme lui ne savait pas trop comment gérer la situation. Alors il a appelé l'expert-street, me demandant de régler l'affaire.

— Et tu nous as fait venir, Jen et moi », dis-je.

Futura Garamond intervint, sa casquette de camionneur s'agitait. (Le logo en était une silhouette classique de fille nue, celle que l'on trouve sur le pare-chocs des trente-huit tonnes ; c'était franchement dépassé mais plutôt audacieux de sa part, pensai-je.) « Dès l'instant où nous avons compris ce qui se tramait, nous avons décidé de planquer les chaussures loin de la ville, en attendant que ça se tasse. Mais Mandy est arrivée au moment même où nous préparions le déménagement. Certaines personnes ont paniqué. » Lui et Mobrasic lancèrent un regard désappointé au grand type chauve.

Qui haussa les épaules. « Il fallait improviser, non ? J'ai laissé les chaussures et j'ai ramené Mandy. Ça ne s'est pas mal goupillé finalement.

— Alors vous avez *vraiment* kidnappé Mandy, dit Jen.

— Comme je l'ai dit, il fallait improviser. »

Je me tournai vers Mandy. «Et tu as fini par négocier avec eux?»

Il y avait une note d'incrédulité dans ma voix mais, honnêtement, passer un marché avec ses propres ravisseurs était du Mandy tout craché, la Mandy que j'adorais. Je l'imaginais tapotant son classeur, cochant une à une les questions contractuelles.

«Une fine lame, cette Mlle Wilkins, admit Mobrasic en lui adressant le Signe. Elle a compris qu'on voulait larguer les chaussures et que le client voulait les acheter. Et elle nous a fait une bonne offre.

– Juste quelques petites choses à revoir et l'affaire est dans le sac.» Mandy jeta un coup d'œil à sa montre. «On aurait conclu depuis longtemps si vous deux n'aviez pas débarqué en commando de sauvetage.

– Ouais, désolé», dis-je. Le score s'afficha. Détective amateur : zéro pointé.

«Mais comment avez-vous pu les leur *vendre*? implora Jen. Elles iront droit dans les rayons des hypermarchés!»

La femme mûre leva les bras en signe d'impuissance. «L'anarchie est une affaire d'argent, ma belle. L'opération *Hoi Aristoi* a explosé le budget.»

Jen hocha lentement la tête et son expression changea. «Alors, ça marche comment votre truc?» Elle se pencha en avant, les yeux écarquillés comme une Japonaise de dix ans. «Le truc du paka-paka. Vous avez vraiment trouvé le moyen de court-circuiter les gens?»

Mwadi Mobrasic rit. «Hé, faudrait se calmer, jeune fille. Je t'aime *bien*, mais on se connaît à peine. Et il se *pourrait même* que je ne sache pas de quoi tu parles.»

À ces paroles élogieuses, un sourire timide éclaira le visage de Jen.

Jusqu'à ce que Mwadi poursuive : «Mais voilà la question : qu'est-ce qu'on fait de vous?»

Mon regard croisa rapidement celui de Jen. Cette question m'avait aussi traversé l'esprit.

«Euh, je suis persuadé que le client veut que vous nous libériez», dis-je en jetant un coup d'œil à Mandy.

Elle me fusilla des yeux en silence, toujours aussi énervée, martelant la table du bout des doigts. Ma gorge se noua et je repensai au rapport concernant le client et le travail des enfants…

Mwadi s'éclaircit la voix. «Notre contrat est plus ou moins bouclé et il n'a jamais été question d'un Hunter Braque. Ni de toi, ma belle. Au fait, tu t'appelles comment?

– Jen James.»

Dans un flash bizarre et totalement hors de propos, je m'aperçus que je ne connaissais pas le nom de famille de Jen jusqu'alors. Comme je l'ai dit, les choses étaient allées très vite.

« Eh bien, Jen James, nous avons peut-être du travail pour vous deux.

– Du travail ? » dis-je.

Mwadi acquiesça. « Nous avons d'autres trucs sur le feu, pas mal de plans, et avons désormais le fric pour les réaliser. Vous connaissez bien le terrain tous les deux. Si ce n'était pas le cas, vous ne seriez jamais arrivés jusqu'ici.

– Quel terrain ? » demandai-je. Je ne savais même plus sur quelle planète nous étions.

Mwadi se leva, dans toute sa grandeur sur roues deux par deux. Elle virevolta et me rappela les tourbillons incessants d'Hiro, mais sans agitation nerveuse, juste pleins de grâce et de force. Elle se mit à patiner lentement autour de la table, aussi harmonieusement qu'un cygne poussé par le vent, donnant vie au monde imaginaire du client (sa propre version tout alambiquée du moins) parmi les faisceaux multicolores des projecteurs de cinéma.

« Hunter, tu connais la pyramide du cool, n'est-ce pas ?

– Bien sûr. » Je la dessinai avec deux doigts. « Les Innovateurs au sommet, en dessous les Initiateurs, puis les Investisseurs. Les Consommateurs tout en bas et les Traînards éparpillés à la base, un peu comme des restes de matériel de chantier.

– Les Traînards ? » Elle fronça les sourcils en s'arrêtant net et ses roues métalliques old school raclèrent le sol en béton comme des ongles. « Je préfère le terme *Classicistes*. Les New York City Breakers purs et durs qui font du break-dance depuis vingt-cinq ans ? À fond sur leur bout de carton tous les jours que Dieu fait, que le break soit *in* ou *out* ? Pour moi, ce ne sont pas des Traînards.

— D'accord, acquiesçai-je. Les New York City Breakers sont des Classicistes. Mais les types qui portent des T-shirts Kiss coincés dans le jean sont des Traînards. »

Un grand sourire s'afficha sur son visage. « Je te l'accorde. »

Elle boucla son tour limpide. « Mais la pyramide est en danger. Tu le sais bien.

— Ah oui, je le sais ?

— À cause des chasseurs de cool, intervint Jen. Et des études de marché, des groupes témoins et tout le bordel. Ils ravagent tout sur leur passage. »

Mandy ouvrit grands les bras. « Hé, je suis là, moi !

— C'est exactement le topo, malheureusement, dit Mobrasic. Hunter, ta petite copine a tout compris. Des mailings et des bases de données ont émergé de la pyramide ancestrale. Ses côtés sont trop glissants maintenant, et plus rien ne tient. Le cool débarque dans les hypermarchés avant même qu'il ait pu être digéré. »

Et bien entendu, tout ce que mon cerveau avait enregistré de cette dernière tirade métaphorique était qu'une personne autre que mes parents avait fait référence à Jen en tant que ma petite copine. Pitoyable.

Résultat . ma réponse se resuma en un «Ouais» mélancolique.

«J'ai cru que tu avais pigé, poursuivit Mobrasic. En attendant que tu nous retrouves, nous avons lu une bonne partie de ton cool blog d'avant et on a dégotté le scoop par une bande d'amis à toi. Les meilleurs ingénieurs de l'histoire du piratage social travaillent pour nous.» Elle adressa un signe à Space Girl puis se tourna à nouveau vers moi. «On te connaît à fond, Hunter, et on pense que tu es conscient qu'il y a un truc qui cloche avec la pyramide. Tu le sais depuis l'âge de treize ans.»

Je sentis la boule se former, celle de ma première année de collège à New York. Le pavé dans mon ventre. «Ouais, j'imagine.

— Donc, la pyramide a besoin d'être restaurée; un niveau supplémentaire dans la hiérarchie doit être ajouté, dit-elle, ses yeux verts éclatants dans la lumière des projecteurs. Quelque chose pour faire ralentir la machine. Pour la faire capoter. Est-ce que tu connais bien les premiers héros, Hunter?»

Mes connaissances en histoire incluaient de nombreux détails obscurs mais peu d'in fos dans les grandes lignes. «Les premiers héros?

— Les premiers Innovateurs inventèrent le mythe, dit Mobrasic, avant que la religion soit transformée en produit pour Consommateurs. Dans ces vieilles histoires, les premiers héros étaient des rusés, des coyotes et des magouilleurs. Leur boulot était de saboter la nature, de détraquer le vent et les astres. Ils s'embrouillèrent avec les dieux et répandirent le chaos sur terre.»

Elle s'arrêta brusquement dans son élan.

«Nous nous inspirons donc d'une page d'histoire pour ajouter les Saboteurs à la pyramide.

— Les Saboteurs.» Les yeux de Jen s'écarquillèrent. «L'inverse des chasseurs de cool.»

Mwadi sourit. «Exact. Nous n'aidons pas les innovations à circuler jusqu'en bas de la pyramide; on perturbe le mouvement. On commercialise la confusion, on sabote les pubs jusqu'à ce que les Consommateurs ne sachent plus ce qui est vrai ou pas.

— Les pavés se descellent», dis-je tout bas. Le sol semblait trembler sous mes pieds. En fait le sol tremblait bel et bien

Une vague de lumière rouge nous inonda et la gigantesque porte coulissante du studio s'ouvrit, laissant entrer les derniers rayons du soleil couchant

Une douzaine de silhouettes environ se détachaient à contre-jour du ciel enflammé. Je reconnus celui qui se tenait devant : c'était le pseudo-écrivain du café, celui qui avait pris le métro jusqu'à Dumbo en même temps que nous. Il nous avait suivis.

Les autres silhouettes avaient des battes de base-ball à la main et leurs têtes ainsi que leurs mains étaient violettes.

Les *hoi aristoi* avaient débarqué, et ils avaient la haine.

Chapitre 32

Mwadi Mobrasic gloussait tout bas. « Merde, regarde-moi ces têtes. Le produit a *trop* bien marché.

— On se casse ? » s'enquit Futura.

Elle haussa ses larges épaules. « On dirait bien que oui. Tu t'occupes de Mandy, je prends ces deux-là. On se retrouve à l'usine. Lumière ! »

Quelques secondes plus tard, les longues rampes de projecteurs s'éteignirent toutes et je ne pouvais à nouveau plus rien voir.

« Venez avec moi les enfants. » Une main ferme me prit par le bras et me mit sur pied. Puis je courus, suivant le son des patins à roulettes sur le béton, dans le sillage d'une force immuable qui balayait tous les obstacles invisibles sur son passage. Des cris et des bruits surgissaient au loin, alors que nos poursuivants trébuchaient sur tout le fatras d'accessoires et d'éclairage de cinéma. On discernait à peine les Saboteurs – une horde rapide et silencieuse qui se distinguait par des lampes de poche s'agitant dans l'obscurité.

J'entendis le souffle de Jen à côté de moi et je tendis la main pour attraper la sienne. Nous nous aidâmes l'un l'autre à garder l'équilibre alors que nous nous engagions dans un tournant abrupt, puis nous grimpâmes en haut d'une échelle, les patins de Mobrasic claquant bruyamment sur les échelons métalliques derrière nous. Nous détalâmes le long de la passerelle et finîmes par franchir une porte à notre hauteur dans le mur. Un étroit couloir qui menait à une fenêtre rougie par le coucher de soleil se présenta, vaguement éclairé par une rangée de loupiotes crasseuses.

Mwadi nous frôla à toute allure, fila en tête sur ses roulettes et ouvrit l'issue de secours avant que nous l'ayons rattrapée. Elle se hissa sur l'escalier, Jen et moi fîmes de même. Nos poids réunis firent vibrer les vieilles marches de métal, Mwadi les descendit en les faisant cliqueter alors qu'elles oscillaient jusqu'au sol, à peine tenues par des charnières grinçantes et rouillées.

Lorsqu'elle atterrit sur le bitume, elle patina furieusement et tourna au coin du bâtiment. Jen et moi échangeâmes un regard.

«On devrait peut-être s'échapper maintenant, dis-je.

« — On est *en train* de s'échapper, là.

— Non, je veux dire échapper à l'anticlient.

— Ils s'appellent les Saboteurs, Hunter. Tu n'as pas écouté ? Et on n'a pas besoin de se sauver ; ils veulent qu'on bosse pour eux.

— Et si on ne veut pas ?

— C'est ça, oui. »

Jen reprit sa course derrière Mobrasic. Je ne pouvais pas faire autrement que de la suivre.

De l'autre côté du bâtiment, Mwadi remontait à toute allure une rampe pour handicapés jusqu'à la porte vitrée – nous avions fait le tour complet pour arriver à l'entrée de la régie son. Elle baissa le rideau métallique, referma le cadenas sur le loquet massif et y coinça sa lampe de poche, laissant les *hoi aristoi* piégés dans le noir.

« Tout est en location, quelqu'un finira bien par les trouver », dit-elle, redescendant la rampe dans un grondement. Elle vit alors une longue limousine vide qui attendait près de la porte d'entrée. Le chauffeur devait être à l'intérieur du bâtiment avec son employeur. « L'un de vous sait conduire ?

— Non.

— Non. »

Elle secoua la tête. « Ces foutus gosses des villes. Je peux la faire démarrer mais je *déteste* conduire avec des patins. »

322

Mais Jen était déjà en train d'ouvrir la porte côté conducteur. «C'est bon, j'ai joué plein de fois à…» Elle mentionna une certaine série de jeux vidéo qui porte le même nom que le crime que nous étions sur le point de commettre.

«Ça me convient», lança Mobrasic.

Exclu du vote, je grimpai donc.

En 2003, une étude de l'université de Rochester a révélé que les gamins qui jouent aux jeux vidéo un méganombre d'heures ont une coordination supérieure et un temps de réflexe plus court que les autres. Les parents et les enseignants furent choqués, scandalisés, incrédules.

Tous les ados que je connaissais furent, genre : «Sans déc.»

Jen nous emmena à travers les rues désertées du parc naval de Brooklyn à fond la caisse, laissant des traces de pneus sur l'asphalte chaud de l'été. Elle ralentit seulement lorsque nous franchîmes les grilles de l'entrée et tournâmes sur Flushing Avenue, en toute légalité.

Je me retournai pour jeter un coup d'œil par la vitre arrière. Aucun signe de poursuite.

«On est bons.

— Et tous les autres ? demanda Jen.

— Ils s'en sortiront, dit Mobrasic. C'est un excellent exercice.»

Je ne pus m'empêcher de demander : «Vous vous *entraînez* à vous enfuir ?

— Nous savions que nous allions nous faire des ennemis. D'autres organisations ont des exercices d'évacuation d'incendie ; nous on a des exercices de oh-merde-on-s'est-fait-pécho. Maintenant, une question pour vous deux : *pourquoi* est-ce qu'on nous a trouvés ?»

Il y eut un silence gêné.

«Eh bien, lorsqu'on était en train de vous traquer, nous avons sollicité l'aide d'une de mes connaissances (j'éclaircis ma voix), d'obédience tête-violette. Et il semblerait qu'elle ait appelé tous ses amis qui ont appelé tous leurs amis et l'un d'eux nous a fait suivre.

— C'est bien ce que je pensais.» Mwadi secoua la tête. «Et moi qui croyais que vous étiez si malins tous les deux.

— C'est ma faute, dit Jen.

— Pas plus que la mienne», protestai-je.

Les phalanges de Jen pâlirent sur le volant alors qu'elle roulait avec concentration sur Flushing Avenue. «C'est moi qui ai dit à Hillary ce qu'on fabriquait.

— C'était juste pour qu'elle nous donne un coup de main, dis-je. Tu ne comptais pas lui dire ce qu'on allait trouver, quand même ?

— Bien sûr que non. Mais c'est moi qui ai craché le morceau. Ça ne m'est même pas venu à l'esprit qu'Hillary puisse nous doubler.

« – Prends ici à gauche, dit Mobrasic. Et fermez-la une seconde. »

Elle composa un numéro sur son téléphone portable et parla rapidement à voix basse tout en guidant Jen d'une main. Je me demandais bien ce qui nous était réservé à l'issue de ce voyage, maintenant que nous étions en disgrâce.

Mais une part de moi se sentait en paix : nous avions enfin des réponses. Les choses avaient trouvé leur place, assez proches de nos théories et autres révélations paka-paka : des chasseurs de cool renégats, un Innovateur charismatique, un mouvement qui voulait faire bouger le monde. Finalement, Jen et moi connaissions peut-être vraiment le territoire.

C'était agréable de découvrir que, parfois, les faits sans intérêt que j'accumulais dans ma tête étaient pertinents, que mon monde imaginaire collait, occasionnellement du moins, avec le monde réel. Que tout ce temps passé à déchiffrer les codes autour de moi n'avait pas servi à rien.

Les signes avant-coureurs avaient peut-être été présents avant même la disparition de Mandy, aussi évidents que les pavés dans la rue. Les gens résistant au gavage, prêts à la rébellion. Les Innovateurs véhiculaient peut-être seulement quelque chose qui était déjà en place. Et peut-être les Saboteurs en étaient-ils la suite logique.

Et quoi qu'il se produise d'autre, Mandy était au moins saine et sauve.

Je m'inclinai en arrière et fermai les yeux, épuisé. Il n'y avait plus rien à faire qu'attendre d'arriver à destination.

«Par là.» Mwadi Mobrasic referma son téléphone dans un claquement.

Jen tourna et s'engouffra lentement dans une allée, la voiture frôlant au passage des montagnes de sacs-poubelle empilés de chaque côté. Nous débouchâmes dans une cour entourée d'immeubles en ruine, leurs fenêtres noires nous observant tels des yeux vides. Un camion de location était déjà en stationnement, celui que nous avions repéré sur Lispenard Street le jour précédent.

Deux silhouettes vidaient le camion en balançant des boîtes de chaussures sur une pile en désordre. Je reconnus l'éclat des pans réfléchissants des chaussures alors qu'elles s'écrasaient au sol.

Une troisième personne se tenait près de la pile grandissante.

Elle l'aspergeait d'essence.

«Non», murmurai-je.

La limousine s'arrêta dans un crissement de pneus, éclatant une bouteille au passage. Mwadi bondit hors de la voiture, ses roues glissant parmi les détritus qui jonchaient la cour comme si elle se trouvait sur une piste cyclable.

Jen et moi courûmes jusqu'aux abords de la pile.

«Qu'est-ce que vous faites?

— On se débarrasse de ça, comme convenu dans le contrat avec le client, dit Mobrasic. Ils auront les prototypes et les dessins. Ils ne veulent certainement pas voir apparaître les originales sur le marché.

— Vous les *brûlez*? criai-je. Elles devraient être dans un musée!»

Elle acquiesça tristement. «Tu as raison. Mais grâce à vous deux, notre sécurité est compromise. Il faut faire ça vite et mal.»

Une allumette atterrit au bas de la pile et l'odeur de l'essence enflammée nous prit à la gorge.

«Non!» hurlai-je.

Puis une vague de chaleur nous força à reculer, le feu s'emparant de la pile en un éclair. Les couvercles des boîtes de chaussures jaillissaient, portés par l'air brûlant, révélant de magnifiques formes à l'intérieur. Les lignes élégantes se déformaient et se tordaient, les pans réfléchissants s'illuminaient un court instant dans le brasier avant de noircir. L'odeur de plastique et de toile brûlés s'ensuivit, faisant couler des larmes d'acide de mes yeux.

Jen tenta de crier quelque chose mais ne parvint qu'à tousser dans son poing serré.

Le brasier devint gourmand et aspira tout l'air autour de nous. Des bouts de papier virevoltaient à mes pieds, attirés vers le feu par la colonne de fumée qui s'échappait de la cour. La mort dans l'âme, je réalisai que l'épais nuage noir qui nous surplombait *était* les chaussures, transmutées d'une chose belle et originale en une fumée informe. J'inspirais les chaussures de rêve à pleins poumons, jusqu'à m'en étrangler.

Mwadi Mobrasic lançait des ordres dans son téléphone portable alors que les dernières boîtes étaient jetées dans le feu juste sous mes yeux. J'étais forcé de reculer à cause de la chaleur, impuissant face à la conflagration. Les chaussures étaient parties de chez parties.

Chapitre 33

Ils nous abandonnèrent là.

« J'aurais bien aimé qu'on travaille ensemble, mais vous faire une proposition serait un peu risqué, dit Mwadi en se hissant dans la gueule vide du camion.

— Nous ne pensions pas les conduire jusqu'à vous. » Le visage de Jen était noirci par la fumée et strié par les traces de larmes. « On les a juste fait marcher pour leur soutirer des infos.

— Et ils ont fini par *vous* faire marcher.

— Nous ferons plus attention la prochaine fois, je le jure. »

Mobrasic hocha la tête. « Vous avez tout intérêt à faire attention. Les têtes violettes vont vous avoir à l'œil. Vous êtes leur seul lien avec nous. Et ça vous rend inutiles pour les opérations à venir.

— Mais nous connaissons bien le terrain, vous l'avez dit vous-même.

« — Tout à fait, et les têtes violettes le savent aussi. Si vous tentez de nous retrouver, vous les mènerez jusqu'au pas de ma porte.

— Mais…

— Oublie qu'on existe, Jen James. Fais comme si rien ne s'était passé. » Elle sourit. « Si tu es sage, je te mettrai sur notre mailing. »

Mwadi frappa d'un coup de patin le flan métallique du camion, un son final et souverain. Le véhicule fit un bond en avant et, dans un grondement de moteur, contourna lentement la pile noircie, puis quitta la cour et s'engagea dans l'allée.

Jen le suivit sur quelques pas, comme pour plaider sa cause, mais ne dit rien. Elle resta plantée là en silence jusqu'à ce que le bruit du moteur ne soit plus qu'un souvenir.

Quand il eut disparu, elle se retourna et fit face au bûcher.

« Il doit bien rester quelque chose.

— Quoi ?

— Des morceaux, des indices. » Elle s'avança jusqu'aux abords noircis, grinçant des dents et faisant voler les cendres à coups de pied. « Peut-être peut-on retrouver un bout de toile ou un œillet, ou bien l'un des lacets. »

J'eus presque un sourire. Tout était parti en fumée et Jen était retournée à la source : les lacets.

Elle tomba à genoux au pied du bûcher

enfumé et fouilla les restes de ses mains, détournant le visage pour éviter la chaleur qui émanait encore du plastique fumant.

«Jen…

– On peut peut-être même réussir à trouver une chaussure entière là-dedans. Quand des maisons brûlent, ils retrouvent toujours des trucs bizarres que le feu n'a…» Elle s'étrangla sur ces mots, toussant à cause de la fumée et des cendres qu'elle avait remuées. Elle couvrit son visage de ses mains, laissant de solides traces noires sur ses joues. Elle reprit sa respiration et cracha un truc noir.

«Jen, tu es dingue!»

Elle leva les yeux vers moi, se demandant sincèrement pourquoi je n'étais pas en train de fouiller avec elle.

«Qu'est-ce que tu fabriques? demandai-je.

– Qu'est-ce que j'ai l'air de faire? Je cherche ces satanées chaussures, Hunter. C'est ce qu'on fait depuis le début, non?!»

Je secouai la tête. «Je cherchais Mandy.»

Elle tendit ses mains noires vers le ciel. «Eh bien, au final, tout va bien pour elle. Elle va probablement avoir une promotion. Tu veux laisser tomber maintenant? Juste parce que Mwadi nous l'a dit?»

Je soupirai et marchai sur la pile, sentant la chaleur des cendres à travers les semelles de mes chaussures. Le soleil s'était couché et le peu de lumière qui restait dans la cour venait des braises qui irradiaient encore en leur centre. Je m'accroupis à côté de Jen.

«Laisser tomber quoi?

– Chercher.

– Chercher quoi? Les chaussures n'existent plus.»

Elle secoua la tête avec autant de rage et de hargne qu'une enfant de douze ans forcée de déménager dans le New Jersey. Comme si la réponse ne pouvait pas être exprimée avec des mots et que seul un idiot pensait que si. Elle cherchait le cool perdu à jamais, la chose la plus difficile à trouver.

Je lui parlai doucement. «Jen, c'est peut-être mieux ainsi.

– Mieux?

– Je veux dire, tu veux vraiment bosser pour ces gars-là? Œuvrer pour la grande cause des Saboteurs? Passer chaque instant de ta vie à te dire qu'il faut changer le monde?»

Elle me lança un regard furieux. «Ouais, c'est exactement ce que je veux.

– Vraiment?

– C'est ce que j'ai toujours voulu.» Elle plongea à nouveau les mains dans les cendres, soulevant un nuage noir qui nous recouvrit et me força à me détourner en fermant les yeux. «Écoute, qu'est-ce que tu veux faire, Hunter? Continuer à regarder des pubs pour de l'argent ? Traîner dans des groupes témoins et débattre du come-back des jambières ? Détourner les lacets tendance ? Juste *observer* au lieu d'agir ?

— Je ne fais pas qu'observer.

— Non, tu prends des photos que tu revends, tu élabores des théories et tu lis un paquet de trucs. Mais tu ne *fais* rien véritablement. »

J'ouvris grands les yeux.

« Je ne fais rien ? » J'avais pourtant l'impression d'avoir fait des trucs, du moins ces deux derniers jours. Depuis que j'avais rencontré Jen.

« Non, tu ne fais rien. Tu observes. Tu analyses. Tu suis. C'est le segment de la pyramide que tu préfères : rester à l'extérieur et regarder. Mais tu as peur de changer quoi que ce soit. »

Je déglutis, la fumée dans ma bouche avait un goût de toast brûlé. Aucune excuse ne me vint à l'esprit car, franchement, elle avait raison. Je l'avais suivie tout du long. Chaque fois que j'avais eu envie de laisser tomber, elle avait trouvé la solution pour continuer. En digne chasseur de cool, je m'étais accroché à Jen, sa volonté de fer et son infatigable quête de l'étrange et du terrifiant.

Et au final, j'avais même échoué dans ce en quoi *j'étais* bon : observer. Je n'avais pas remarqué que nous étions suivis et j'avais laissé Jen se faire doubler par une bande d'imbéciles à la tête violette, ne la laissant qu'avec un tas de cendres.

Je me revoyais balancer la photo de ses lacets à Mandy – vendant Jen dès notre première rencontre. Je n'étais qu'un imposteur. Comme je l'avais découvert après mon départ du Minnesota, il n'y avait rien de cool en moi.

Je ne faisais pas partie des Saboteurs et je ne méritais pas d'être avec Jen.

«OK. Je ne me mettrai plus en travers de ta route.» Je me levai.

«Hunter…

– Non, j'ai *vraiment* envie de ne plus être sur ta route.» Je n'avais jamais entendu ma voix si froide, ni senti la boule dans mon ventre si dure.

Je m'éloignai et, avant même d'avoir atteint l'allée, je l'entendis se remettre au travail, fouillant la pile.

Chapitre 34

« Tu t'es lavé les mains ?

– Oui, je me suis lavé les mains. »

Mon père leva les yeux vers moi, trouvant pour une fois que le ton de ma voix était plus perturbant que ses terrifiants graphiques.

« Oh, désolé. Bien sûr que tu l'as fait. »

Victoire. Si seulement j'avais pu sourire. Après tant d'années de tentatives, j'avais enfin réussi la voix robotisée parfaite. Sans inflexion, sans âme, vide. Je savais que Papa ne me demanderait plus jamais si je m'étais lavé les mains.

Ma rage envers Jen et envers moi-même s'était atténuée sur le chemin du retour la nuit précédente et s'était transformée en quelque chose de dur et de glacé au moment de me coucher. Ce matin, je n'étais qu'un truc mort.

Maman me servit du café en silence.

Une bonne minute plus tard, mon père me demanda : «Le week-end a été long?

— Très.

— J'aime toujours tes cheveux comme ça, dit Maman, sa voix montant d'un cran à la fin comme si elle posait une question.

— Merci.

— Et tes mains ont l'air d'être moins violettes aujourd'hui.

— Je n'irais pas jusque-là.» Sous la lumière crue du miroir de ma salle de bains, je voyais bien que la teinture s'était à peine estompée. À ce rythme d'usure, je cesserais peut-être d'avoir les mains violettes pour ma dernière année de fac.

«Dis-nous ce qui ne va pas, Hunter», demanda Maman.

Je soupirai. Ils avaient probablement déjà deviné et je finis toujours par leur raconter ce qui m'arrive, tôt ou tard. Autant m'en débarrasser.

«Jen.

— Oh, je suis désolée, Hunter.

— C'était du rapide, ajouta Papa, nous faisant partager son brillant esprit rationnel.

— Ouais, je suppose.» J'avais rencontré Jen le jeudi après-midi. Nous étions quoi? Dimanche matin?

Maman posa sa main sur la mienne. «Tu veux en parler?»

Je haussai les épaules, fis quelques mimiques, tentai quelques ébauches de phrase dans ma tête et lançai enfin : «Elle m'a percé à jour.

– Percé à jour ?

– Ouais. Complètement.» Je sentais encore le trou que son regard avait laissé. «Vous vous souvenez quand on a emménagé ici ? Quand j'ai perdu tous mes amis ? Mon assurance, mon cool.

– Bien sûr. Ça t'avait bien secoué.

– Ça vous a certainement secoués, vous aussi. Mais le truc, c'est que je crois que je ne m'en suis jamais remis. C'est comme si depuis ce temps-là, je n'étais plus qu'une mauviette. Et Jen m'a démasqué – je suis trop nul pour traîner avec elle.

– Nul ?» demanda Papa.

Je trouvai un mot plus juste : «Trouillard.

– Tu as peur ? Ne sois pas idiot, Hunter.» Maman secoua la tête face à sa fourchette pleine d'œuf. «C'est sûrement quelque chose que vous pouvez régler tous les deux.

– Et si tu ne peux pas le régler, intervint Papa, au moins tu n'auras pas perdu trop de temps avec elle.»

Maman faillit s'étrangler à ces mots, mais je parvins à faire preuve de maturité : «Merci à vous deux d'essayer de me remonter le moral. Mais restons-en là, s'il vous plaît.»

Ce qu'ils firent. Ils se remirent à dire et faire

les choses habituelles et prévisibles. Prendre le petit déjeuner avec les parents a toujours un effet apaisant : ils suivent le comportement type du couple marié, comme si les choses avaient toujours été ainsi et le seraient à jamais. Ce ne sont pas des Innovateurs. Pas au petit déjeuner, du moins. Pendant une heure, chaque matin, ce sont des Classicistes de la plus pure espèce, mes New York City Breakers à moi.

Mais après avoir terminé de manger et être retourné dans ma chambre, il ne me restait pas grand-chose d'autre à faire que de m'asseoir sur mon lit et regretter ma frange derrière laquelle j'aurais pu me cacher.

Les petites équipes de manchons de bouteille me narguaient du haut de leur étagère, j'entamai alors un petit projet. Je retirai un à un les manchons de chaque bouteille d'eau vide, rentrant chacune de leurs caractéristiques sur e-Bay, puis je posai chaque manchon sous son livret rempli de faits obscurs et inutiles, les aplatissant pour les préparer à l'envoi.

C'était triste de séparer les équipes soigneusement composées, mais tout dirigeant qui se respecte doit, au bout d'un certain temps, remodeler son équipe, renvoyer les joueurs habitués et recommencer à zéro avec les jeunes pousses, une garantie certaine d'essuyer les pertes. De plus, si les enchères me souriaient, j'aurais peut-être la somme minimale demandée pour régler la prochaine facture de ma carte de crédit, dès réception.

Lorsque mon téléphone sonna, je fermai les yeux et retins ma respiration. *Ce n'est pas elle*, me répétai-je tout bas plusieurs fois, puis je me forçai à regarder le nom sur l'écran.

Shoe girrrl. Mandy.

J'aurais dû être content qu'elle appelle, content de savoir qu'elle avait réussi à échapper aux têtes violettes et qu'elle m'adressait déjà la parole. Mais le nom me serra un peu plus le cœur. Ça allait être ainsi à chaque fois que le téléphone sonnerait et que Jen ne serait pas à l'autre bout du fil ; ma vie allait craindre à mort.

« Salut Mandy.

— Salut Hunter. Je voulais juste faire le point avec toi.

— Pas de problème.

— D'abord, je voulais m'excuser d'avoir raté notre rendez-vous vendredi dernier. »

Je ris, ce qui me fit mal à cause du pavé que j'avais dans le ventre. Les règles étaient donc fixées : ne pas mentionner les Saboteurs, ni les chaussures. Le week-end perdu de Mandy resterait notre petit secret.

« C'est bon, Mandy. Je sais que ce n'était pas ta faute. Je suis juste content que tu ailles bien.

— Je n'ai jamais été aussi bien. Je vais être promue. »

Je hochai la tête, avec un petit pincement de douleur à l'idée de savoir que Jen avait vu juste sur ce coup-là.

« Mais merci de t'être préoccupé de mon sort. Greg m'a dit que tu avais appelé. Cassandra aussi. En fait, *tout le monde* m'a dit à quel point tu étais inquiet pour moi. J'ai pu paraître énervée la dernière fois qu'on s'est vus, mais je n'oublierai pas que tu es venu à mon secours.

— Pas de problème, Mandy. Partir à ta recherche a été une... aventure très intéressante. » Le pavé dans mon ventre grondait à chaque mot.

« C'est ce que j'ai cru comprendre. C'est la deuxième chose dont je voulais te parler. » Elle marqua une pause.

« Vas-y.

— Bien, il y a des questions concernant ce week-end, des choses que l'on devrait laisser de côté pour l'instant. Le client ne veut pas être mêlé à une certaine soirée de lancement. Certaines personnes influentes ne sont pas contentes et nous avons des relations essentielles à ménager.

— Ah. » Mon esprit fit lentement la traduction : quelle que soit la franchise du message délivré, le client ne voulait pas que les hautsdignitaires-des-têtes-violettes apprennent l'arrangement passé avec les Saboteurs. Ces hauts dignitaires étaient furax et le seraient encore pour un certain temps. «Ça veut dire quoi exactement, Mandy?

— Ça veut dire que je ne peux pas te donner de boulot. Pas dans l'immédiat en tout cas.

— Oh.»

Tout devint très clair : j'étais le bouc émissaire. La seule personne sur laquelle les *hoi aristoi* pouvaient mettre leurs mains violettes, le seul lien qui pouvait les mener aux Saboteurs. Le client garderait ses distances.

Tout le monde allait garder ses distances.

«Je suis vraiment désolée, Hunter. J'ai toujours aimé travailler avec toi.

— Moi aussi, avec toi. T'en fais pas.

— Et tu sais, ces trucs-là ne durent qu'un temps.

— Je sais, Mandy. Comme tout.

— T'es un chef.»

Cinq minutes plus tard, je fouillais mes étagères à la recherche d'autres choses à vendre quand le téléphone sonna une nouvelle fois. Là encore, je m'empêchai de regarder le nom sur l'écran

Ce n'est pas elle, ce n'est pas elle... En le répétant dix fois, ça ferait peut-être l'affaire.

C'était elle.

« Hmm », dis-je. (Ce qui est pareil que « ouais » mais avec beaucoup moins de pêche.)

« Retrouve-moi au parc. Là où on s'est rencontrés la première fois. Dans trente minutes, OK ?

– OK. »

Chapitre 35

«Je peux prendre une photo de ta chaussure?»

Elle baissa ses jumelles, se tourna vers moi et sourit.

«Sache que ces lacets sont brevetés.»

Je regardai ses pieds : elle avait refait ses lacets. Ils étaient maintenant vert foncé, enfilés en hexagone autour de la languette puis noués au centre, faisant penser à un œil de chat mais à la verticale. Tout le reste était de l'Antilogo standard, sauf sa veste – moirée, noire et sans manches, brillant au soleil et extralarge.

«Ne t'inquiète pas. Je ne suis pas ici pour des raisons professionnelles, dis-je.

– Ouais, Mandy m'a appelée et m'a tout raconté.» Elle baissa les yeux. «Finalement, j'ai vraiment réussi à te faire virer. Ça a juste pris un peu plus de temps que prévu.

– Je survivrai.

– Je suis désolée, Hunter.»

C'était donc pour ça qu'elle avait appelé. Elle se sentait coupable. Ce n'était qu'un rendez-vous de pitié.

J'entrouvris la bouche mais rien ne sortit. Je voulais lui expliquer ce que j'avais compris à propos des Saboteurs, mais tout ce que je voulais dire était bien trop gros pour ma bouche. Jen attendit un instant, puis releva les jumelles au niveau de ses yeux.

« Qu'est-ce que tu regardes ? parvins-je à dire.

— La rive de Brooklyn. »

Je me tournai pour observer la rive opposée où l'on devinait les vestiges du parc naval dans l'étendue de bâtiments industriels, d'autoroutes sinueuses et d'espaces portuaires décrépits.

Bien sûr. Jen n'abandonnait jamais.

« On se retrouve à l'usine ? » citai-je. C'était ce que Mwadi Mobrasic avait dit lorsque les *hoi aristoi* avaient fait irruption, tous violets et violents. Les Saboteurs avaient prévu de déménager lundi, mais avec toutes ces forces contre eux, pourquoi ne pas le faire avec un jour d'avance ?

« Tu penses qu'ils vont rester dans Brooklyn ?

— Ouais. Je crois qu'ils ne quitteront jamais Dumbo.

— C'est le quartier cool de la ville, à ce qu'on

344

dit.» Nous restâmes côte à côte. «T'as vu quelque chose d'intéressant? lui demandai-je.

— Tu n'as pas été suivi?

— Je ne crois pas. J'ai traversé Stuyvesant Town et j'ai longé la rivière. Il y a pas des masses de planques à Stuy Town.

— Bien vu.

— Roger.»

Elle sourit et dit : «À propos de Roger…», et elle me tendit les jumelles.

Elles étaient lourdes, des jumelles militaires à imprimé camouflage. Les extrémités de nos doigts se frôlèrent un instant.

La rive surgit en détail devant moi, chaque tremblement de mes mains provoquant un séisme. Je stabilisai ma prise et suivis un cycliste le long de la promenade.

«Qu'est-ce que je cherche?

— Mate l'usine de sucre Domino.»

Je dépassai le cycliste d'un geste, tout se brouilla dans l'élan. Puis les longs murs sales et familiers de l'usine apparurent dans mon champ de vision. Je fis marche arrière et trouvai les lettres au néon éteintes qui épelaient le nom et la chute diagonale du conduit à sucre reliant les deux bâtiments. Enfin, un petit terrain vide entre l'usine et la rivière.

«Des camions de location», dis-je doucement. Quelques silhouettes faisaient un va-et-vient entre les camions et un quai de déchargement. «Jen, as-tu finalement retrouvé la trace du numéro d'immatriculation du camion qu'on a vu devant l'immeuble abandonné?

— Euh, non. En fait, je n'ai aucune idée de comment m'y prendre.

— Moi non plus. Mais... as-tu déjà vu des déménageurs professionnels habillés tout en noir? En plein été?

— Jamais. Et regarde comment ils sont garés. Au ras du mur pour qu'on ne les voie pas de la rue.»

Je baissai les jumelles. Les camions étaient de la taille d'un grain de riz à l'œil nu et les silhouettes pas plus grandes que des plombages mus par un aimant invisible. «Ils ne s'attendaient pas à être observés depuis Manhattan.

— Ouais, ces jumelles m'ont coûté mille quatre cents dollars. Elles viennent de l'armée d'ex-Union soviétique. Mais le type m'a dit que j'avais vingt-quatre heures pour les rendre si je ne les aimais pas.

— Tu es dingue, Jen.» Je les lui rendis avec précaution.

Elle les leva à nouveau et se pencha contre le grillage, laissant pendre la courroie au-dessus de l'eau. «Le client a dû cracher un paquet de fric pour les chaussures. J'ai entendu dire qu'ils allaient transformer ces bâtiments en appartements résidentiels. Des vues imprenables de Manhattan à un million de dollars le lot.

— Pas tous les bâtiments apparemment. J'imagine qu'ils doivent avoir un studio télé dans leur partie de l'usine, du moins une régie et qui sait quoi d'autre. Les Saboteurs sont donc probablement considérés comme appartenant au secteur industriel léger. »

Elle sourit. « Postindustriel, tu veux dire.

— Postapocalyptique.

— Pas encore. Mais donne-leur un peu de temps. »

Nous restâmes là un instant, silencieux. Jen suivait minutieusement les mouvements sur la rive d'en face ; moi, j'étais simplement content d'être là – à analyser comment les rives de Brooklyn avaient évolué avec le temps, à regarder les cheveux rasés de Jen frémir sous le vent, à apprécier le fait de me tenir près d'elle, même si désormais nous ne serions jamais plus près que ça.

« Comment tu trouves ta veste ? dit-elle.

— Ma quoi ? » Mais une étincelle de reconnaissance traversa mon cerveau. Je tendis la main et touchai la surface noire et soyeuse imprimée de minuscules fleurs de lys. C'était la doublure de mon désastre à mille billets, qui était à présent apparente. L'horrible déchirure ainsi que les manches avaient disparu et les coutures avaient été reprises pour que, dans sa nouvelle configuration à l'envers, la coupe élégante de la veste soit conservée.

«Waouh.

— Essaie-la.» Elle l'enleva.

Elle m'allait aussi merveilleusement que deux nuits auparavant. Même un peu mieux, comme cela arrive parfois lorsque l'on porte les choses à l'envers. Et cette nouvelle veste – soudainement sans manches, dans un ersatz de soie japonais, résistant à toute forme de nœud papillon – n'appartenait pas à l'anti-Hunter; elle était faite pour moi. «Mortel.

— Ravie que tu aimes. Ça m'a pris toute la nuit.»

Ses mains glissèrent le long des surpiqûres, passèrent sur la poche intérieure (qui se trouvait maintenant à l'extérieur), effleurèrent la tenue des épaules. Puis elles m'enlacèrent la taille.

«Je suis désolée, Hunter.»

Je soupirai lentement et plongeai droit dans ses yeux verts. Un soulagement m'envahit comme si je venais de passer un examen terrifiant. «Moi aussi.»

Elle détourna son regard. «Ce n'est pas toi qui as fait l'andouille.

— Tu disais simplement la vérité. Peut-être comme une andouille, mais la vérité. J'observe trop. Je pense trop.

— Mais c'est ce que tu fais. Et tu le fais le

plus coolement du monde. J'aime ce que tu as dans la tête.

– Ouais, Jen, mais toi tu veux changer les choses – et pas uniquement la manière que les gens ont de nouer leurs lacets.

– Toi aussi. » Elle se retourna pour observer de l'autre côté de la rivière. « Tu essayais juste de me consoler hier, en prétendant que les Saboteurs ne valaient pas plus que ça. N'est-ce pas ?

– Pas complètement. » J'inspirai profondément car, entre mes accès de déprime paralysante qui avaient duré toute la nuit, j'avais en fait repensé à tout ça. « Jen, je ne suis pas convaincu par les Saboteurs. Ils visent des cibles un peu trop faciles. Et ils prennent des risques avec le cerveau des autres. Tu ne peux pas t'amuser à court-circuiter les gens sans leur demander leur avis. Dès l'instant où il y aura un blessé grave, l'idée de supercherie perdra tout son petit côté insolite attrayant, tu vois ? »

Elle y réfléchit un moment, puis haussa les épaules. « Peut-être. Mais ça veut juste dire qu'ils ont besoin de nous pour les aider. Ton talent d'analyse, ta base de données abyssale d'infos inutiles. Et ma, euh, façon de penser originale ou je ne sais quoi. On peut les aider. Et ils sont si cool.

– Je sais bien. » Je me souvins de mon premier jour de cours ici à New York, prenant conscience de ma dégringolade au bas de la pyramide. J'étais soudain devenu plouc et, dès que j'avais mis les pieds dans la classe, ils l'avaient tous deviné. Et j'avais vu à mon tour qui étaient les gamins cool. Comme s'ils rayonnaient, des lames de rasoir acérées, si brillantes qu'on avait du mal à les regarder. Depuis ce jour, j'avais été capable de repérer les gens cool, quel que soit leur âge.

Mais, depuis ce jour, je ne leur avais plus jamais vraiment fait confiance.

Pourquoi donc faisais-je confiance à Jen, alors ? Je me le demandais bien. C'était la fille qui, à peine douze heures auparavant, avait cassé avec moi à cause… d'une pile de chaussures. Ou du moins qui me détestait car je n'étais pas resté pour l'aider, elle, la victime d'une conviction qui la poussait à penser que si elle ratait sa chance avec les Saboteurs, elle perdrait à nouveau son cool, aussi facilement qu'on trébuchait sur un trottoir.

Une conviction totalement dingue, mais typiquement Jen.

De toute façon, elle avait arrêté de me haïr.

« Peut-être qu'on les rendrait encore plus cool, Hunter. »

Je lui souris, sachant que j'allais l'aider à les retrouver. Car Jen pensait qu'elle avait besoin d'eux, et j'avais besoin d'elle. « Évidemment. »

Elle jeta un coup d'œil à l'usine. Haussa les épaules. «J'ai un cadeau pour toi.

— Encore? dis-je.

— La veste n'était pas un cadeau. Elle t'appartient, achetée et réglée.»

Je sursautai. «Pas encore réglée, en fait.»

Elle sourit et remit les jumelles dans son sac à dos (et, à ma grande joie, dans leur gros coffret rembourré de l'ère soviétique). Elle sortit un sac en papier. Avant même qu'elle l'ouvre, je sentis des effluves de plastique brûlé.

«Je t'avais dit que j'en trouverais une. T'aurais dû rester avec moi. Si tu m'avais donné un coup de main, ça ne m'aurait pas pris deux heures entières.» Elle déballa le paquet lentement tout en parlant. «Une seule, tout en bas de la pile.»

J'ouvris grande la bouche.

La chaussure avait été miraculeusement épargnée par la chaleur, les pans étaient toujours souples, leur brillance de métal liquide argenté était intacte. Les lacets me glissèrent entre les doigts comme des grains de sable. Les œillets scintillaient, leurs minuscules rayons tournoyant à la lumière du soleil.

J'avais presque oublié qu'elles étaient aussi bien.

«Ça sent le feu, dit Jen. Mais j'ai mis du désodorisant pour chaussures et ça va déjà mieux. Il faut encore un peu de temps.

— Je m'en fous de l'odeur. »

Je me rendis compte que j'avais besoin de ça, moi aussi. Il ne fallait pas grand-chose pour court-circuiter Jen. Son cerveau était quelque chose d'unique, prêt à la transformer à nouveau en enfant de dix ans au gré d'une attaque paka-paka, prêt à la faire passer par les sorties de secours de tous les toits de la ville ou escalader tous les conduits d'aération ou fomenter une révolution secrète.

Mais je ne m'étais pas senti comme ça depuis si longtemps — comme si je pouvais voler ou bien marquer un panier depuis la ligne des lancers francs, comme si le ciment dans ma tête se fissurait. Je lui pris la chaussure et la tins serrée.

« Tu crois toujours que les Saboteurs craignent tant que ça ? » demanda Jen.

J'avalai ma salive, regardai de l'autre côté de la rivière vers les ennemis de tout ce qui me tenait à cœur et leur adressai le Signe.

« Ils ont leurs bons côtés. »

Chapitre 36

La chaussure m'a appartenu pendant trois semaines environ. Puis le relevé de ma carte de crédit est arrivé. Il fallait passer à l'action.

« Tu pourras toujours t'en acheter une paire quand elles sortiront, m'assura Jen.

– Ouais, mais pas avec le vrai logo. » La barre d'interdiction me manquerait. Comme l'a dit un certain philosophe français « L'homme est l'animal qui dit non. »

Mais je ne pouvais pas dire non à une certaine société de cartes de crédit dont le nom permet de voyager. Nous appelâmes donc Antoine pour nous assurer qu'il travaillait ce jour-là, l'informant que nous avions quelque chose d'important à lui montrer, et nous filâmes à l'autre bout de la ville.

Les magasins Dr Jay's, tout comme la culture hip-hop, apparurent dans le Bronx en 1975. Ils sont toujours là, aux quatre coins de la ville, à vendre chaussures, survêtements et toutes sortes d'accessoires de sport en matières synthétiques portant des noms comme Supplex et Ultrah, des noms intergalactiques évoquant des images de robots attrayants.

«Hunter, yo, mec», dit Antoine, puis il adressa le Signe à Jen, ce qui signifiait probablement qu'il se rappelait ce qu'elle avait dit au groupe témoin et pensait que c'était assez cool.

Il nous entraîna jusqu'au fond de la boutique parmi le chaos sympathique encouragé par une sono d'enfer : des gamins cavalaient partout pour tester la coupe et le style, des types essayaient des pulls pour trouver cette longueur parfaite entre la taille et les genoux, un arc-en-ciel de logos d'équipes réfléchissants tournoyaient sur leur portant.

Nous atteignîmes le sanctuaire de la réserve et nous nous serrâmes entre de hautes étagères de boîtes rangées par taille et par marque. Antoine poussa une échelle roulante de bibliothèque hors de notre chemin.

«C'est quoi cette odeur ? demanda-t-il en ouvrant la boîte.

– Les réacteurs», dit Jen, imperturbable, en déballant la chaussure de son papier.

Lorsqu'elle apparut en pleine lumière, les yeux d'Antoine se mirent à briller. Il la prit des mains de Jen avec précaution et la tourna de tous les côtés, vérifiant les œillets, la languette, les lacets, la semelle.

Une minute plus tard, il chuchota : «D'où vient-elle ?

— Contrefaçon, dit Jen. Mais elles ont toutes été détruites. C'est la dernière, d'après nous.

— Merde alors.

— Le client va en faire une version, dis-je. Mais c'est l'originale.»

Il hocha la tête lentement, ne quittant pas la chaussure des yeux. «Ils n'arriveront pas à la reproduire correctement. Du moins, pas comme ça. L'un de ces comités fera tout foirer

— Et elles n'auront jamais ça.» Je désignai l'antilogo.

Il rit. «Je ne les porterai pas au boulot, ça c'est sûr.

— Pas "les". Une seule a survécu.

— *Merde* alors.»

Je déglutis. «Le truc, c'est que je suis forcé de la vendre. De gros problèmes d'argent.»

Il me regarda, attendant la suite.

«Je suis *forcé*, OK ? dis-je.

— Euh, je ne t'imaginais pas comme ça, Hunter. Mais si tu as besoin d'argent, tu as besoin d'argent.

— C'est le cas, dis-je d'un ton expéditif, comme un jeune marié lors d'une cérémonie express.

— Combien ?

— Eh bien, tu vois, j'ai ce relevé de carte de crédit, il est à peu près de mille dollars…

« — Vendu. »

Ce n'est qu'une fois dans la rue, billets en main, que je me rendis compte que j'aurais pu demander plus.

La chute de cette tragique petite fable est que le client ne commercialisa jamais la chaussure. Il n'en avait jamais eu l'intention.

Au lieu de cela, ils en piratèrent des petits bouts chaque saison. Comme le monstre de Frankenstein, mais à l'envers, la chaussure a été lentement désassemblée, ses superbes organes transplantés dans une douzaine de corps différents.

Vous-même apercevrez probablement la chaussure si vous gardez les yeux au sol, mais en petits morceaux seulement. Elle est facile à reconnaître, sur les produits du client et une douzaine de copies et contrefaçons — cet élément de toute chaussure qui court-circuite votre cerveau et vous fait croire, l'espace d'un instant, que vous pouvez voler. Mais vous ne tiendrez jamais l'ensemble dans vos mains. Il est parti en fumée.

Pourtant, on ne peut pas en vouloir au client d'avoir suivi la règle d'or du consumérisme ne jamais nous donner ce que nous voulons. Découper le rêve en morceaux et le jeter au vent comme des cendres. Distribuer de fausses promesses. Emballer nos espoirs et nous les

vendre — d'assez mauvaise qualité de préférence, afin qu'ils s'effondrent.

Au moins, Antoine en a eu pour son argent :
il a eu le vrai de vrai.

Et moi j'ai eu Jen.

Nous nous embrassâmes une fois la chaussure bel et bien vendue, en pleine rue, au beau
milieu du Bronx, moi quelque peu nerveux
en raison des mille dollars fourrés dans mes
poches, de grosses liasses de petites coupures.
(Ça vaut la peine d'essayer — c'est assez intense.)
Nous repartîmes ensuite vers Manhattan et
nous remîmes au travail, sachant quant à moi
que j'étais en train de suivre l'aiguille d'une
boussole qui pointait vers de gros ennuis. Jen
joue quitte ou double, c'est une vraie peste,
une emmerdeuse de première et elle me court-
circuite comme personne. Mais les choses
deviennent vraiment top quand elle les met
sens dessus dessous.

Ce qu'elle fait habituellement.

Chapitre Machin Truc

Jen et moi épions toujours les Saboteurs, à l'affût de leur prochain coup. N'essayez surtout pas ça chez vous. Ils sont blindés de fric, prêts à l'action, et s'ils vous chopent en train de foutre le bordel chez eux, ils vous rendront violets.

Mais ne vous en faites pas. Vous ne serez pas oubliés. Ils passent bientôt près de chez vous, dans le centre commercial du coin. Ils ont tout un programme qui nous concerne tous.

Vous êtes cernés par les Saboteurs, même si vous ne pouvez pas les voir. Bon d'accord, ils ne sont pas vraiment invisibles. Beaucoup d'entre eux ont les cheveux teints de cinq couleurs différentes, portent des baskets à semelles compensées de quinze centimètres ou trimballent tellement de métal sur leur peau que prendre un avion devient une vraie galère. Plutôt visibles, en fait, quand on y réfléchit bien.

Mais il n'y a aucun signe qui puisse trahir ce

qu'ils sont. D'ailleurs, si vous saviez ce qu'ils mijotent, la magie n'opérerait plus. Ils doivent vous observer attentivement, vous tromper et vous perturber sans se faire repérer. En bons prestidigitateurs, ils vous laissent croire que vous avez découvert le chaos tout seul.

Vous vous posez donc la question suivante : Que peuvent bien faire les Saboteurs, de toute façon ? Ne vont-ils pas s'éteindre comme n'importe quelle autre mode, échouer comme des millions d'autres révolutions, finir amers et inutiles, comme une collection de pin's abandonnée au fond d'un tiroir ? Ou bien un petit groupe d'Innovateurs charismatiques très organisés peut-il vraiment changer le monde ?

Ils le peuvent peut-être.

Selon mes sources, ça se passe comme ça à chaque fois.

Le panthéon des Innovateurs

La première personne à avoir sauté d'un avion (un dirigeable en fait) en parachute :
André-Jacques Garnerin (1797)

La première personne à avoir roulé en patins à roulettes classiques 2×2 :
James Plimpton (1863)

La première personne à avoir fait des contrepèteries :
Révérend William Archibald Spooner (1885)

La première personne à avoir mis de la glace dans un cornet :
Agnes B. Marshall (1888)

La première personne à avoir descendu les chutes du Niagara en tonneau[1] :
Annie Edson Taylor (1901)

---

1. N'essayez pas ça chez vous, ni aux chutes du Niagara d'ailleurs. (*N.d.A.*)

La première personne à avoir noué ses lacets dans le style «double hélice[1]» :
Montgomery K. Fisher (1903)

La première société à avoir fabriqué des baskets en toile :
Keds (1917)

La première personne à avoir coupé du tissu en biais :
Mme Madeleine Vionnet (1927)

La première foule à avoir fait la «ola» :
Jeux olympiques de Mexico (1968)

La première personne à avoir passé un coup de téléphone depuis un portable dans une rue de New York :
Martin Cooper (1973)

La première personne à avoir rayé un disque vinyle exprès :
Grand Wizard Theodore (1974-1975)

La première personne à avoir utilisé l'expression «futur sarcastique» :
Cory Doctorow (2003)

---

1. Connu aussi comme la «manière habituelle». (*N.d.A.*)

L'auteur

SCOTT WESTERFELD est né en 1963 au Texas.
Compositeur de musique électronique, concepteur
multimédia et critique littéraire, il vit aujourd'hui
entre New York et Sydney avec sa femme, l'écrivain
Justine Larbalestier. Cela fait plus de 10 ans qu'il
écrit pour les adultes et les adolescents. Sa série *Uglies*
(Pocket jeunesse) est un best-seller mondial.

Retrouvez Scott Westerfeld sur son site internet :
http://scottwesterfeld.com/blog/

Dans la collection
Pôle fiction:

Le papier de cet ouvrage est composé de fibres naturelles,
renouvelables, recyclables et fabriquées à partir de bois
provenant de forêts plantées et cultivées expressément pour la
fabrication de la pâte à papier.

Mise en pages: Dominique Guillaumin
Photo de l'auteur © D.R.

ISBN : 978-2-07-063116-2
Loi n° 49-956 du 16 juillet 1949 sur les publications
destinées à la jeunesse
Dépôt légal : juin 2010
N° d'édition: 172547 – N° d'impression : 100433
Imprimé en France par CPI Firmin Didot